ENERGÍA PARA EL

DEPORTE

ENERGÍA PARA EL

DEPORTE

Los nutrientes que le ayudarán a obtener el

máximo rendimiento, resistencia y musculatura

Dave Tuttle

nowtilus

Colección: Guías Prácticas de Salud, Nutrifarmacia y Medicina Natural
www.guiasbrevesdesalud.com

Título: Energía para el deporte
Subtítulo: Los nutrientes que le ayudarán a obtener el máximo
rendimiento, resistencia y musculatura
Autor: © Dave Tuttle
Traducción: Tania De Loayza

Copyright de la presente edición: © 2007 Ediciones Nowtilus, S.L.
Doña Juana I de Castilla 44, 3º C, 28027 Madrid
www.nowtilus.com

Editor: Santos Rodríguez
Coordinador editorial: José Luis Torres Vitolas

Diseño y realización de cubiertas: Carlos Peydró
Maquetación: JLTV

ISBN-13: 978-84-9763-411-3
Fecha de edición: Julio 2007

Printed in Spain
Imprime: Gráficas Marte, S.A.
Depósito legal: M-27585-2007

ÍNDICE

Introducción

Durante la década anterior hemos presenciado una explosión de nuevos productos nutritivos para los deportes. Desde polvos de reemplazo dietético hasta nutrientes como la ecdisterona y metoxiisoflavona.

Las compañías que elaboran estos suplementos están ofreciendo un sin número de productos que, según aseguran, pueden ayudar a desarrollar la masa muscular, reducir el tiempo de recuperación e incrementar el rendimiento en los deportes.

Sin embargo, esto es una espada de doble filo. Por un lado, algunos de estos están entre los nutrientes más fuertes y eficaces jamás vendidos. Por otro lado, la gran cantidad de productos disponibles puede confundir incluso al atleta más experimentado. Frente a este hecho, surgen las siguientes preguntas: ¿Qué productos pueden ser considerados como los ganadores absolutos y cuáles los perdedores? Debido a que el dinero no abunda ni crece en los árboles, ¿cómo se puede hacer la mejor elección de acuerdo a las necesidades específicas, al deporte que se practica y al presupuesto que se tiene? Esta guía responderá todas estas preguntas.

Algunos de los nutrientes mencionados en este libro son probablemente muy conocidos, tales como los polvos proteicos y la creatina. ¿Pero acaso se tiene verdadera idea de cuál es el mejor momento para tomarlos y cuál de ellos funciona mejor? Para cuando termine de leer este guía, usted tendrá los conocimientos suficientes sobre estos suplementos, lo cual le permitirá usarlos para obtener las máximas ventajas.

Por otro lado, existen otros productos tan nuevos que son poco conocidos y con nombres tan extraños como ipriflavona y fosfatidilserina que presentan un funcionamiento molecular tan complejo como sus denominaciones. Esta guía le revelará el resultado de muchas investigaciones actuales realizadas sobre estos nuevos productos. Algunos de ellos cuentan con un impresionante soporte científico, mientras que otros, tienen únicamente estudios con animales para respaldar su uso. *Energía para el deporte* le indicará todo lo relativo a estos nutrientes e incluso le ayudará a decidir sus compras. También aquí se indicarán las dosis recomendadas para cada uno de estos productos, cuándo empezar a tomarlos y cuándo no, con el fin de obtener de ellos el máximo beneficio.

Cuando se realiza una compra, todos queremos conseguir el mejor producto a cambio de nuestro dinero. Sin embargo, esto no siempre ocurre así. A veces nos decepcionamos porque lo que hemos adquirido no actúa como en las propagandas del anunciante. A raíz de esto, en ocasiones nos volvemos reacios a probar nuevas alternativas. Para prevenir esto, esta breve guía le proporcionará de manera concisa y directa la información imparcial que se necesita para hacer las elecciones correctas.

1

SUPLEMENTOS
PROTEICOS

Es difícil no poner demasiado énfasis en la importancia de las proteínas en la dieta de un atleta. Mientras haya numerosos suplementos que aumenten la síntesis proteica, no se puede sintetizar nuevas proteínas musculares sin la materia prima. Entrenar en intensamente y luego privar al cuerpo de la proteína que necesita, es como golpear la cabeza contra una pared de piedra. Ningún beneficio se puede obtener de esa manera, al contrario, se pueden obtener resultados que perjudicarían el desarrollo de la masa muscular.

Aunque, en teoría, solo con comer carne, pescado, carne de ave, productos lácteos, etc. se puede conseguir las proteínas necesarias, para la mayoría de los atletas esto no es suficiente y tampoco resulta práctico. Después de todo, toma tiempo preparar comidas y aún más tiempo comerlas y limpiar los platos. Esto ha llevado a que muchos hombres y mujeres consigan parte de sus requerimientos proteicos en forma suplementos.

COMPONENTES BÁSICOS ESENCIALES

La proteína es un nutriente esencial para todas las personas, pero sobre todo para los atletas. Hay un poco de proteína en cada célula del cuerpo humano. Las células del cerebro, por ejemplo, contienen un 10 % de proteínas, mientras que los glóbulos rojos y células musculares contienen no menos de un 20 %. Teniendo en cuenta esto, la proteína constituye el 15 % de su peso del cuerpo, más que cualquier otra sustancia, exceptuando el agua.

Estas proteínas del cuerpo tienen un amplio rango de funciones, incluyendo el crecimiento y desarrollo de tejido. Dos filamentos, de base proteica, que se encuentran en la fibra muscular, conocidos como actina y miosina, son responsables de toda la contracción muscular. Las proteínas incluso se necesitan para moldear la mayoría de las hormonas, incluyendo la insulina y la hormona del crecimiento. El cuerpo elabora todas estas diferentes proteínas a partir de los aminoácidos —que son moléculas que contiene un grupo grupo carboxilo (COOH) y un grupo amino (NH_2) libres—. Muchos aminoácidos forman proteínas (conocidos como aminoácidos proteicos), mientras que otros nunca se encuentran en ellas. En todos los aminoácidos que componen proteínas —a excepción de la glicina— el carbono alfa es un carbono asimétrico (el carbono alfa es el adyacente al grupo carboxilo).

El cuerpo adulto puede producir doce de estos aminoácidos por sí mismo, de ahí se les denomine aminoácidos "no esenciales". Estos son: alanina, arginina, asparaginas, el ácido de aspártico, el ácido de glutámico, la gisterina, la glicina, la glutamina, la histidina, la prolina, la serina y la cisteína. Los otros ocho aminoácidos son llamados "esenciales" porque deben ser proporcionados por la dieta. Estos son: la isoleucina, la leucina, la valina, la lisina, la metionina, la fenilalanina, treonina, y el triptofán.

Cuando el cuerpo tiene suficientes aminoácidos, tiene un buen balance de nitrógeno. Esto quiere decir que se tiene nitrógeno suficiente para respaldar las necesidades de todo el cuerpo y permitir el desarrollo muscular. El consumo inadecuado de proteínas en relación con las necesidades daría como resultado un balance negativo de nitrógeno.

Su necesidad proteica diaria

Una de las principales preguntas que los atletas se refieren a cuánta proteína deben consumir. El gobierno de los Estados Unidos de Norteamérica ha recomendado ingerir una dosis de 0.8 g/kg del peso de cada persona por día. Mientras algunos nutricionistas sostienen que esta es una medida permisible y que suministra suficientes proteínas para las personas activas, investigaciones recientes muestran lo contrario.

Varios estudios, incluyendo algunos del Dr. Peter Lemon de la Universidad de Ontario, muestran que la mayoría de los atletas de potencia necesitan de 1,7 a 1,8 g/kg. Los atletas de resistencia necesitan un poco menos, de 1,2 a 1,4 g/kg. Estas cifras están basadas en el peso del cuerpo. Aunque la grasa corporal no requiere proteína, es más fácil para los atletas calcular sus necesidades proteicas sobre la base total del peso del cuerpo.

Los requisitos mencionados anteriormente son para atletas que entrenan de tres a cuatro veces por semana. Si se practica más o el entrenamiento tiene un nivel bastante alto en intensidad, la necesidad proteica puede ser mayor, aproximadamente de 2,5 g/kg de acuerdo a lo sugerido por algunos investigadores

Siempre es necesario comer una cantidad adecuada de proteína todos los días, incluso cuando no se hace ejercicio. El cuerpo usa las proteínas constantemente para suministrar la materia prima para el desarrollo muscular, su reparación o recuperación, y el mantenimiento.

Pero la solución no es consumir grandes cantidades de proteína porque estas se almacenarán en las células musculares, en la sangre y los órganos, pudiendo convertirse a la larga en carbohidratos o grasa.

Por otra parte, no hay pruebas científicas que respalden la idea frecuentemente escuchada de que el cuerpo puede asimilar solo 35 g de proteína en una toma. Usted puede ingerir más por comida si así lo desea, pero es mejor distribuir el consumo de proteínas en tres o cuatro comidas pequeñas para mantener relativamente constante el nivel de los aminoácidos durante todo el día.

Se puede terminar con un balance negativo de nitrógeno incluso al ingerirse estos niveles de proteína recomendados si es que no se consumen suficientes carbohidratos. Esto puede ocurrir durante las dietas de reducción de carbohidratos, las cuales son realizadas a veces antes de las competiciones con pesas. Esto ocurre a menudo, también, durante las largas carreras de maratón, así como en las carreras de larga distancia, porque hay una reducción dramática de carbohidratos en el cuerpo.

Cuando el cuerpo necesita energía y no tiene suficientes carbohidratos para cubrir sus necesidades, este convierte las proteínas del hígado y de los músculos en energía. Esto puede producir una pérdida de masa muscular pues el cuerpo empieza a devorarse a sí mismo para conseguir los nutrientes que necesita.

Puede ser difícil conseguir suficiente proteína de todas las comidas. Afortunadamente, ahora existe una gran variedad de suplementos proteicos. La soja, la leche, los huevos y el suero en polvo tienen sus propias y especiales ventajas, incluso vienen en diferentes sabores para mantener la cosa interesante.

La soja en polvo es, generalmente, hecha de la misma soja, la cual contiene 99 % de proteína. Debido a que esta es una proteína vegetal, es baja en metionina, pero más alta en glutamina que en suero. La soja es también alta en aminoácidos y arginina, los cuales son importantes para el desarrollo muscular. Sin embargo, algunos de los químicos de la planta ejercen un leve efecto estrogénico, que puede reducir la definición del músculo, así que los atletas varones no deben consumir grandes cantidades de soja.

La leche y los huevos en polvo son producto de la mezcla de proteínas. Originalmente se hacía a partir de la leche en polvo, ahora, en cambio, contienen una variedad de componentes de la leche. Como el queso se produce de dividir la leche en dos productos principales: una parte sólida llamada caseína y un líquido conocido como suero. La leche y los huevos en polvo combinan varias cantidades de estas fracciones, añadiendo, generalmente un poco de clara de huevo (también llamada albúmina) a las mezclas.

Los científicos han encontrado que la caseína y el suero tienen sus propias características. La caseína es asimilada relativamente despacio así que provee una circulación más firme de aminoácidos al flujo sanguíneo. Asimismo, también tiene grandes cantidades de aminoácidos que pueden ser usados como energía durante el ejercicio. Sin embargo, debido a que la caseína contiene lactosa, puede causar una disfunción gastrointestinal a aquellas personas que carecen de la enzima lactasa, que separa la lactosa. El suero, por otro lado, es asimilado rápidamente con lo cual aumenta la síntesis proteica, mucho más que la caseína.

EL SUERO: LÍDER DEL MERCADO

Hoy en día, en el mercado, la mayoría de las proteínas en polvos corresponden al suero en polvo. A principios de los noventa, los científicos desarrollaron varios sistemas, entre ellos, el intercambio iónico y la microfiltración, para obtener un alto grado de calidad en la destilación del suero, lo cual permite la obtención del producto casi sin grasa y sin lactosa. Estos sistemas usan temperaturas frescas que mantienen el gusto y configuración natural de los aminoácidos.

El suero tiene la más alta biodisponibilidad (que es un término farmacéutico que alude a la porción de la dosis, de un fármaco o nutriente administrado de manera exógena, que llega hasta el órgano o tejido en el que lleva a cabo su acción).que cualquier otra proteína. Se disuelve fácilmente en el agua, permitiendo que el atleta mezcle una bebida proteica en la carrera. Además, el suero tiene menos glutamina, arginina y fenila-lanina que la caseína o la soja, y su habilidad de incrementar altamente la síntesis de la proteína lo ha hecho el favorito de los atletas.

El suero aislado es la forma más pura de suero. Tiene menos humedad y lactosa que el suero concentrado, así que gramo a gramo se obtiene más proteína por el dinero invertido que con el suero concentrado. Sin embargo, el suero aislado cuesta más que el suero concentrado. Aunque los produc-tos del suero que han usado el antiguo proceso de altas temperaturas cuestan menos no son tan efecti-vos porque las proteínas han sido denaturadas y son biológicamente menos activas.

Conviene recordar que estos suplementos no intentan reemplazar las proteínas ingeridas en las comidas habituales. Su valor está en ofrecer una manera fácil de conseguir proteínas adicionales cuando las comidas no suministran lo anhelado para poder alcanzar las metas deportivas de cada uno.

LOS REEMPLAZOS DIETÉTICOS

Numerosos estudios han demostrado que la mejor manera para aumentar la musculatura de manera natural y perder grasa al mismo tiempo es comer cinco o seis comidas pequeñas a lo largo del día. Tal división del consumo de comidas provee un torrente estable de proteínas, promoviendo el crecimiento máximo. Cada comida también tiene un efecto térmico, que aumenta su valor metabólico y minimiza la cantidad que es guardada como grasa. Además, dividir su consumo de carbohidratos en pequeñas porciones ayudan a restaurar el glicógeno del músculo sin acumulación de grasa.

Pero, ¿quién tiene tiempo y energía para prepararse y comer cinco o seis comidas completas todos los días? La mayoría de los atletas, no. Con su trabajo, entrenamiento, familia, y otras obligaciones, los atletas necesitan una forma conveniente y rápida de conseguir alimento y para ello las comidas de reemplazo en polvo (MRPs, del inglés, *Meal Replacement Powders*) les da la respuesta que estaban buscando.

Estos polvos son, generalmente, altos en proteína, medianamente altos en carbohidratos, y bajos en grasas. La mayoría se mezcla con agua en un envase y así se obtiene una bebida sabrosa, aunque algunos tienen que ser preparados con una licuadora. Muchos de ellos se ponen muy densos, mientras que otros tienen la consistencia de leche con chocolate.

Son endulzados artificialmente por lo que tienen un contenido bajo en azúcar, incluso aún cuando contienen grandes cantidades de carbohidratos.

Una encuesta sobre los MRPs actualmente muestra que el contenido de proteína por comida servida es de 25 g a 52 g con un rango aproximado de 9 a 28 g de carbohidratos. El contenido graso es siempre muy bajo —no más de 4,5 gramos—. Sobre la base del número total de calorías en un paquete individual, la proporción de macronutrientes de estos MRPs varía de 52 % a 73 % de proteínas y 19 % a 41 % de carbohidratos, y de 0 % a 14 % de grasas. El valor total calórico varía de 170 a 340 calorías por comida servida.

La proteína principal en la mayoría de los MRPs es el suero —por lo general, suero concentrado pero a veces es una mezcla de suero aislado, concentrado, e hidrolisado—. Algunos productos combinan suero con caseína y albúmina de huevo para obtener una mezcla de aminoácidos que sea asimilada de manera más lenta. Varios productos también incluyen proteínas basadas en los factores de crecimiento y péptidos bioactivos, como casomorfinas, inmunoglobulinas, glicomacropeptidos, IGF-1, y lactoferrina, que ayudan a promover el crecimiento del músculo y su reparación

mientras suministran el soporte para su sistema inmunológico.

Los carbohidratos contienen generalmente maltodextrina, complejo de arroz integral, fructo-oligosacaridas, fructosa y/o sacarosa.

Muchos fabricantes también añaden a sus fórmulas una variedad de nutrientes para los deportistas. Los nutrientes más comunes son cromo, glutamina, taurina, tirosina, monohidrato de creatina, es decir una cadena de aminoácidos, hidroximetilbutirato (HMB), y alfa-ketoglutarato. Los quemadores de grasa y los bloqueadores son también ocasionalmente incluidos, tales como el ácido de hydroxicítrico (HCA), leitina, colina, inositol, y citosan. Las MRPs también son fortificados con vitaminas y minerales, y tienen un 33 % a 100 % del valor diario recomendado por comida.

Hay muchos sabores disponibles, por lo que no hay razón para aburrirse con un MRP. Además del sabor usual del chocolate, también está el de vainilla y fresa, la selección incluye naranja, baya salvaje, chocolate, mantequilla de maní, e incluso hay una serie variada de sabores tropicales.

ESCOGE LOS MEJORES PRODUCTOS

Con tanta diversidad, hay que hacer una selección cuidadosa. Lo primero, es calcular el requerimiento diario de proteína y restar la cantidad que se obtiene de la comida usual. El resultado final, es lo que se necesita obtener de un suplemento de proteína o MRP.

La inclusión de carbohidratos en las necesidades diarias, depende del metabolismo y del gasto de energía que realice cada quien. La mayoría de los atletas requieren de 4 g a 6 g de carbohidratos por kilo de peso del cuerpo. Con este dato, lo mejor es determinar cuántos carbohidratos se necesitan cada día. Después, hay que dividir el total entre los MRPs y los carbohidratos que se consume en la dieta, tales como avena, cereales, pasta, legumbres y patatas.

Incluso si se está sumamente ocupado, debería tratarse de conseguir al menos la mitad de los carbohidratos calculados antes. Aunque los carbohidratos en los MRPs tienden a ser bastante bajos en el índice glicémico, no contienen prácticamente nada de fibra —cuya presencia es parte importante en una dieta balanceada—. El contenido graso de MRPs y de las proteínas en polvos es tan bajo que, en teoría, no debería afectar la talla de cada quien.

Cuando se usan apropiadamente, estos MRPs pueden ayudar a conseguir los objetivos deportivos deseados. Estos elementos suministran los nutrientes necesarios para el crecimiento de la masa muscular sin consumir calorías excesivas, permitiendo, además, controlar el nivel de grasa corporal hasta obtener el rendimiento máximo. Los MRPs y las proteínas en polvos están hechos a la medida del estilo de vida de los atletas, así que hay que asegurarse de incluirlos en el régimen alimenticio diario según se necesiten.

2

La Creatina

De todos los suplementos deportivos que abundan en el mercado, ninguno ha sido tan exhaustivamente estudiado como la creatina. Este polvo blanco e inodoro incursionó en los deportes a mediados de los años noventa y transformó la industria de suplementos en el proceso. Inicialmente, solo la creatina monohidratada estaba disponible, pero pronto apareció el citrato de creatina, la creatina líquida, bebidas e incluso golosinas de creatina.

Ha pasado casi una década desde que la creatina apareció, lo que significa que ha durado más de dos o tres años, que es lo usual cuando los suplementos están de moda. ¿Por qué? Porque la creatina trabaja para todos y ayuda bastante en una gran variedad de deportes. Incrementa la energía y la fuerza, lo cual se traduce en más masa muscular y mayor performance para atletas, particularmente

en aquellos que practican deportes cortos pero de intensidad máxima.

SUS TRES SENDEROS DE ENERGÍA

La creatina juega un rol esencial en uno de los tres principales sistemas de energía usado para la contracción del músculo. Existe en dos formas diferentes dentro de la fibra muscular: como creatina libre (químicamente liberada) y como fosfato de creatina (CP, del inglés *Creatine Phosphate*). Esta última forma de creatina elabora dos tercios del total de su suministro de creatina.

Cuando los músculos se contraen, el combustible inicial para este movimiento es un elemento compuesto denominado trifosfato de adenosina (ATP, del inglés *Adenosine Triphosphate*).

El ATP suelta una de sus moléculas de fosfato para suministrar energía al momento de la contracción muscular y también para realizar otras funciones. Una vez que el ATP ha soltado una molécula de fosfato, este se convierte en un compuesto diferente denominado Adenosina de difosfato (ADP, del inglés *Adenosine Diphosphate*). Desafortunadamente, solo hay suficientemente ATP para proveer energía durante diez segundos, así que para que este sistema dé energía continua, debe de producirse más ATP.

El fosfato de creatina (CP) viene al rescate dándole su molécula de fosfato al ADP, recreando al ATP. Este ATP puede ser "quemado" nuevamente como combustible para más contracción muscular. El resultado es que su habilidad de regenerar ATP depende en gran parte de su suministro de creatina. Cuanto más creatina se tiene en los músculos, más ATP se podrá producir.

Esta importante resíntesis del ATP evita que el cuerpo dependa tanto del otro "sendero de energía" conocido como glicólisis y que tiene ácido láctico como un subproducto. Este ácido irrita la fibra muscular causando dolor. Eventualmente, los niveles de ácido láctico aumentan tanto que interfieren en las reacciones bioquímicas necesarias para la contracción muscular. Así que, si se tiene menos ácido láctico en los músculos, se puede entrenar más tiempo y ganar más fuerza, potencia y tamaño muscular. Además, se tarda más en llegar a agotarse.

En menos de un minuto, las necesidades de energía sobrepasan los límites del sendero del CP y del ATP, y se empieza a producir energía a través de la glicólisis. Si se entrena mucho tiempo, en una intensidad alta, se obtendría tanto ácido láctico en los músculos que se tendría que dejar de hacer ejercicio temporalmente. Más de uno, cuando ha dado todo de sí en un gimnasio o en el campo de juego conoce muy bien este sentimiento.

El tercer "sendero de energía" es el sendero aeróbico. Puede ser utilizado solamente cuando hay suficiente oxígeno. Esto ocurre cuando la actividad deportiva involucra poco esfuerzo. Los ejercicios submaximal, como el jogging, la cinta para caminar, y por supuesto las clases de "aeróbicos" principalmente usan este sendero de energía, que no involucra a la creatina.

UN NUTRIENTE NATURAL

La creatina está presente de forma natural en el cuerpo alrededor de 1,5 g por kilo de peso del cuerpo. Aproximadamente, el 95 % se encuentra en los músculos del esqueleto. El 5 % restante está esparcido en el resto del cuerpo, con las más altas concentraciones en el corazón, el cerebro y los testículos. ¡Los espermatozoides están llenos de creatina!

El cuerpo consigue creatina de dos fuentes: de los alimentos y de su propia producción interna. La creatina se encuentra en cantidades moderadas en la mayoría de las carnes y pescado, que son, músculos del esqueleto. Una buena dieta con creatina incluyen carne de res, pollo, pavo, atún, bacalaos, salmones, y cerdo. Las cantidades más pequeñas se encuentran en la leche e incluso en los arándanos. Desafortunadamente, el proceso de cocción destruye parte de la creatina que existe en estos alimentos.

El cuerpo también puede producir creatina usando estos tres aminoácidos: arginina, glicina y metionina como materia prima. Esta producción se lleva a cabo en el hígado, páncreas y los riñones. Sin embargo, el cuerpo solo fabricará una cantidad media. En consecuencia, si se desea maximizar el almacenamiento de creatina en los músculos, tiene que tomarse un suplemento de creatina.

Pero, por favor, hay que notar que la creatina almacenada en los estantes de las tiendas es sintetizado en una fábrica de químicos. Nadie muele carne para conseguir creatina. Este proceso de fabricación puede producir pequeñas cantidades de impurezas si la fabricación no es cuidadosa (la creatina china, disponible hace algunos años, se hizo notoria por sus niveles de impureza).

En ese sentido, hay que asegurarse de obtener el mínimo de impurezas en el monohidrato de creatina. Lo mejor es comprar una marca que diga "Creapure" en la etiqueta. Estas marcas son hechas con una tecnología patentada. La creatina es muy asequible en la actualidad, así que resultaría absurdo ingerir impurezas por ahorrar un par de monedas.

Montañas de investigación

A diferencia de algunos suplementos que cuentan únicamente con experimentos en animales o estudios solo de laboratorio, para sustentar su uso, la creatina ha sido el tema de cientos de ensayos clínicos publicados. La mayoría de estos estudios involucraron a atletas, con lo cual se ofrecía un alto nivel de seguridad sobre los beneficios de la creatina.

Ha habido tantas investigaciones sobre la creatina que se podría escribir un libro sobre dichos estudios. A decir verdad, yo lo hice —con Ray Sahelian, M.D., El libro se tituló *Nature's Muscle Builder* (Avery Publishing, 1999). Sugiero revisar este libro si se quiere conocer todos los detalles de este suplemento maravilloso.

En realidad, todas las investigaciones disponibles que se han realizado son sobre el monohidrato de creatina, un polvo con sabor neutral que es estable hasta ponerlo en el agua. El monohidrato de creatina en cantidades regulares es absorbido fácilmente en el área tracto intestinal y aumenta el nivel de creatina en la sangre en una hora.

Una vez que se encuentra en la célula muscular, la creatina se queda allí hasta por cerca de un mes. La creatina puede ser, ocasionalmente, cambiada por el cuerpo a creatinina, a una sustancia inofensiva pero inservible que es filtrada por los riñones y excretado en la orina. La creatinina también es producida cuando la creatina se queda en el agua por periodos prolongados.

No todos se benefician de los suplementos de la creatina. Un estudio descubrió que más del 30 % de usuarios no respondieron a sus efectos. No se conoce la causa de estos resultados, pero se piensa que puede relacionarse con la cantidad de creatina que se guarda naturalmente en el cuerpo. Mientras la concentración media en el tejido muscular es 125 mmol (millimoles por litro), los niveles normales de creatina pueden extenderse de 100 a 160 mmol. Si los músculos están cerca de esta concentración máxima, no se podrá experimentar un aumento en la fuerza o en el rendimiento al practicar el deporte. La única manera de saberlo es probar la creatina y descubrirlo por uno mismo.

LOS ATLETAS QUE MÁS SE BENEFICIAN

Debido a que la creatina está involucrada en el "sendero de energía" usado para determinados deportes que requieren de potencia, no debe de sorprender que los atletas de dichos deportes que dependen de este sendero obtienen los mejores beneficios. Esto incluye a fisicoculturistas, levantadores de pesas, luchadores, corredores de corta distancia y jugadores de fútbol americano y hockey.

Estudios en el instituto de Karolinska en Suecia descubrieron que una dosis de 20 g de monohidrato de creatina por día produjo un 5 % de incremento en la "peak torque" (o "pico de torque", una medida de la producción de fuerza) y también generó ganancias similares en la cantidad del trabajo desarrollado. Los sujetos también subieron un promedio de 4.6 kilos durante el mes del experimento.

Un estudio realizado en tres instituciones de investigación tejanas encontró aumentos importantes en la fuerza que se obtiene del monohidrato de creatina. Los voluntarios varones, quienes entrenaron regularmente con pesas, consiguieron más fuerza y más musculatura como resultado de un régimen de 20 g de creatina por día en un periodo de veintiocho días. Después de cuatro semanas, la cantidad del peso que podían levantar para una repetición (1 - RM) aumentó en 8,2 kg (más de dieciocho libras), y el número de las repeticiones que podían hacer en 70 %, (1 - RM) aumentó de once a quince. También adquirieron un promedio de 7,1 kilos del peso del cuerpo con solamente un 0.4 kilos de aumento en grasa corporal. ¡Eso quiere decir que el 95 % de la ganancia era masa muscular!

Se han llevado a cabo tantos estudios con atletas que es imposible poner en una lista a todos en este pequeño libro. Resulta, creo, suficiente decir que cualquier atleta que necesite desarrollar potencia y poder se beneficiará del uso de la creatina. La única vez que la creatina no es recomendada es cuando otros factores influyen en el rendimiento, como el peso del cuerpo.

Para un fisicoculturista, cuanto más peso es fantástico —tanto como sus músculos se lo permitan—. Esto también resulta atractivo para luchadores, levantadores de pesas, y otros atletas que desarrollan la potencia. Pero si se es un corredor de maratón, el incremento de peso corporal puede disminuir la velocidad, incluso si uno es muy fuerte. Por esta razón, los corredores de maratón y atletas de triatlón deben probar la creatina fuera de temporada de entrenamiento o competición y ver lo que experimentan. El incremento de masa muscular también podría ser contraproducente para nadadores y para los que practican artes marciales, aunque más fuerza y velocidad podría resultarles beneficioso. Nuevamente, se recomienda probarlo fuera de la época de competencias.

MONOHIDRATO DE CREATINA V.S CITRATO DE CREATINA

El monohidrato de creatina es una molécula de creatina fijada a una molécula de agua (la mononucleosis significa "Uno") mientras que el citrato de creatina tiene una molécula de creatina y una molécula de citrato. La creatina es idéntica en ambas casos, pero la molécula transportadora cambia todo el paquete de alguna manera.

Gramo por gramo, el monohidrato de creatina tiene más creatina que el citrato de creatina. El monohidrato de creatina es aproximadamente 60 % de creatina, mientras que el citrato de creatina es solamente 40 % de creatina. Esto quiere decir que uno tiene que tomar un poco más de citrato de creatina para conseguir los mismos efectos, así que hay que mirar la etiqueta para saber qué creatina se está comprando.

Aunque ninguna investigación publicada ha comparado los beneficios en rendimiento del monohidrato con el citrato directamente, un estudio italiano descubrió que los grados de absorción de ambas formas eran casi lo mismo. También, hay que notar que algunos fabricantes ponen en una lista la cantidad de creatina en el producto en vez del total con la transportadora molécula adjuntada, por eso, lo mejor es siempre verificar la etiqueta, porque se puede estar consumiendo más creatina de lo que se pensaba a primera vista.

Se supone que el citrato de creatina tiene una ventaja que es que no causa "hinchazón". El argumento es que el cuerpo absorbe agua adicional con monohidrato de creatina, que puede aumentar la cantidad del agua en la piel. Pero incluso si la molécula de hidrato es asimilada, con aquella cantidad es poco probable que cause un hinchazón perceptible.

Una dosis de 5 g de monohidrato de creatina tiene 2 g de agua, así que usted estaría absorbiendo una onza (28 g) de agua cada dos semanas. Eso no es nada comparado con la cantidad que se suele beber. También, prácticamente no hay creatina en la piel, así que esa zona no se hincharía. Más bien, tendría lugar dentro de sus células musculares — precisamente donde realmente se desea.

Es cierto que el monohidrato de creatina incrementa el nivel del agua dentro de la célula muscular y esta es una de las razones por las que trabaja, porque los niveles más altos de agua intra-musculares aumentan la síntesis proteica y el crecimiento muscular. Debido a que el citrato de creatina es efectivo, este probablemente haga la misma cosa. Sin embargo, hay tan poca investiga-ción sobre el citrato de creatina que todavía queda mucho por conocer.

CREATINA EN POLVO

En 1996, un estudio en el *Queens Medical Center* en Nottingham, Inglaterra, comparó la retención de creatina en veintidós hombres sanos. Los investigadores dividieron a los hombres en cuatro grupos. El grupo A tomó 5 g de creatina, el grupo B y C consumieron 5 g de creatina con 93 g de azúcar simple (mezcla de creatine y carbohidra-tos), y el grupo D tomó una sustancia inerte conocida técnicamente como placebo. Todos los grupos tomaron sus suplementos cuatro veces al día. Además, el grupo C practicó bicicleta estacionaria por una hora todos los días, mientras que los otros grupos no hicieron ejercicio.

Los investigadores descubrieron que la mezcla de creatina y carbohidratos, incrementó el nivel total de la creatina muscular en 24 % en el tercer día, mientras que la creatina sola produjo únicamente un 14 % de incremento. Además, aunque el ejercicio incrementa normalmente la retención de creatina, los carbohidratos adicionales eran tan eficaces que no había ninguna diferencia entre el nivel de creatina en los grupos B y C.

Este estudio conllevó a la introducción de la creatina en polvo. Todos estos suplementos incluyen azúcar simple (generalmente dextrosa pero a veces maltosa o maltodextrina) en diferentes cantidades al mismo tiempo que otros ingredientes que tienen propiedades anabólicas. Vienen, a menudo, en sabores de lima- limón, naranja, uva, y sabores de fruta de ponche.

Algunos productos tienen nutrientes que pueden actuar como un reforzador adicional en la fijación y retención de la creatina. Por ejemplo, entre los antioxidantes, se ha demostrado que el ácido alfa-lipoico incrementa la insulina en las personas con diabetes. Debido a que la insulina está involucrada en la absorción de creatina, el ácido alfa-lipoico puede ayudar a enviar creatina a las células musculares.

La arginina incrementa el flujo de sangre en el pene, esta es la razón por la cual se le incluye en los productos de "salud masculina". Lógicamente, también debe incrementar el flujo de sangre en otros músculos, permitiendo que más nutrientes (incluyendo la creatina) sean transportados. Sin embargo, no hay estudios publicados que específicamente muestren el aumento de creatina debido al ácido de alfa-lipoico o la arginina. Por otro lado, un estudio reciente ha demostrado el incremento de la absorción con el D-pinitol, un nutriente que se encuentra en la madera de pino y las legumbres.

Otro estudio comparó carbohidratos puros con 50/50 de proteína de carbohidratos mezclados y descubrió que la absorción de creatina era la misma en ambas casos. Por consiguiente, usted puede añadir proteína en polvo a su botella con creatina sin ninguna reducción en los beneficios. Teniendo en cuenta la necesidad de aminoácidos antes y después de sus ejercicios, esta es una muy buena idea.

CREATINA EFERVESCENTE

Recientemente, se han presentado una gran variedad de polvos efervescentes de creatina, que al ser combinados con agua, suministran una dosis efectiva de creatina en una bebida burbujeante y sabrosa. Una creatina efervescente y bien diseñada incrementa la solubilidad de de la misma, llegando mayor cantidad al flujo sanguíneo y a las células musculares.

Aunque algunas marcas usan monohidrato de creatina, la mayoría de creatinas efervescentes es hecha con citrato de creatina. A veces, el cítrico y/o ácido ascórbico también son añadidos al preparado. La adición de estos ingredientes ácidos baja el pH de la bebida, lo cual ha sido demostrado que incrementa la cantidad de creatina que se disuelve en el agua.

El carbonato de sodio y/o bicarbonato al combinarse con el cítrico y/o ácido ascórbico produce la efervescencia, mientras que los edulcorantes, como la dextrosa, la fructosa, la estevia, el asparmate, y el acesulfama-k, reducen la extrema acritud del citrato de creatina. Los edulcorantes naturales, particularmente la dextrosa, ayuda a incrementar la absorción de creatina, aunque por supuesto, los edulcorantes artificiales no lo hacen. La creatina efervescente está disponible en cuatro sabores: naranja, uva, batido de fruta, y bayas.

Es curioso cómo cambian las cosas según cómo los conocimientos se van ampliando. Cuando la creatina fue presentada, se decía que no se debía mezclar con jugo de naranja porque neutralizaría el efecto. Ahora se sabe que justamente sucede al contrario: no solo el ácido del jugo de naranja no lo neutraliza, sino que realmente puede aumentar su solubilidad.

La creatina efervescente es mucho más atractiva y cómoda que introducir creatina en el agua. Asimismo, la ventaja del sabor es una de las grandes razones por la que estos polvos son tan populares. Sin embargo, no hay pruebas publicadas de que el citrato de creatina efervescente incremente la cantidad de creatina. Afortunadamente, las futuras investigaciones aclararán esta pregunta.

CREATINA LÍQUIDA

Es la forma de creatina más polémica en el mercado. Mientras que el monohidrato de creatina y el citrato de creatina son compuestos muy estables en la forma seca, casi todos los científicos creen que empiezan a degradarse cuando se disuelven en el agua. Estos terminan en gran parte como una sustancia inofensiva que es también el subproducto natural del metabolismo de creatina. Desafortunadamente, la creatina no tiene propiedades anabólicas.

Este proceso comienza después de varias horas, así que no hay razón de estar preocupado cuando se mezcle la creatina o una formula efervescente con el agua y beberla inmediatamente. Sin embargo, se torna preocupante cuando la creatina es vendida en forma líquida.

Los productos de creatina líquida contienen cantidades suficientes de la misma cuando dejan la fábrica. Sin embargo, estos productos se quedan un tiempo en el distribuidor antes de ser enviados a las tiendas. Después, se quedan otro tiempo en los estantes antes de ser comprados. ¿Cuánto ingrediente activo todavía estará ahí para el consumidor? Es un tema de mucho debate.

"Hemos probado todo tipo de formas para estabilizar la creatina líquida", señala, Joan Dean, un representante de SKW, la empresa líder alemana en producción de monohidrato de creatina, y agrega: "Tenemos uno de los mejores laboratorios en el mundo entero, y no puede ser elaborado".

Sin embargo, puesto que las compañías multinacionales no tienen el monopolio sobre el conocimiento de la creatina, quizás exista un Thomas Edison de la creatina ahí afuera, que pueda resolver el misterio de estabilizar la creatina en líquido. Este descubrimiento revolucionario haría más conveniente el uso de la creatina indudablemente eliminando la necesidad de mezclarlo con agua u otro líquido antes de tomarlo.

No existe ninguna investigación seria que haya evaluado las cualidades positivas de la creatina líquida. Tampoco, se ha realizado un estudio comparando del potencial anabólico de la creatina líquida con la creatina en polvo.

Teniendo en cuenta los millones de dólares que son gastados en publicidad de la creatina líquida todos los años, uno pensaría que el Sr. Edison querría gastar los $20,000 que se necesitan para hacer un ensayo clínico y verificar sus beneficios. ¡Vaya!, pero esto no ha ocurrido. Cada quien puede sacar sus propias conclusiones.

Dosis recomendadas

Usualmente los atletas toman de 20 a 30 g por día, por cinco a siete días (se conoce como la fase de carga), seguido por una dosis de 4 a 7 g diarios (la fase de mantenimiento). Esto se basaba en una investigación reciente que mostraba que era una manera eficaz de maximizar las concentraciones de creatina en los músculos. Esto es muy eficaz si se puede manejar los posibles efectos secundarios.

Aunque el cuerpo pueda asimilar cantidades pequeñas de creatina fácilmente, si se toma demasiado, pueden sobrecargarse los intestinos y sufrir las consecuencias, incluyendo gases y diarrea. Si no se puede esperar un mes para conseguir los efectos completos de la creatina, entonces haya que realizar una fase de carga pero manteniéndose cerca al baño hasta que usted ver cómo responde el cuerpo. Algunas personas no tienen problema con la fase de carga en absoluto.

Sin embargo, si no le molesta esperar un mes o no quiere sufrir los efectos secundarios, solo empiece con el estilo antiguo de fase de manteni-

miento. Los estudios han demostrado que esta dosis es perfectamente capaz de darle todo lo que la creatina tiene para ofrecerle en treinta días sin la baja.

La recomendación de 4 a 7 g es válida para el monohidrato de creatina y el citrato, sin considerar el sistema de entrega. Los atletas que entrenan intensamente deben apuntar hacia 7 g por día, mientras que los guerreros de fin de semana necesitan solamente 4 g. Puesto que la creatina almacenada está relacionada con la masa muscular, los atletas más grandes necesitan más creatina para conseguir grandes logros.

Algunos atletas creen que empezar y terminar ciclos con la creatina es casi un deber, mientras que otros dicen que no experimentan beneficio. Si usted decide dar un "descanso" a su cuerpo, recuerde que deben ser cuatro semanas después de dejar el suplemento para regresar a los niveles normales de creatina.

Debido a que hay una concentración máxima de creatina en el tejido muscular, en cuanto usted llegue allí, no puede ni debe sobrepasar ese límite fisiológico con el ciclismo o haciendo otra cosa. El ciclismo permitirá que usted sienta la gran bomba que sintió cuando empezó a tomar creatina y que perdió sus beneficios solo porque lo dejó durante un tiempo. Es su elección.

La creatina es un suplemento relativamente económico con una proporción de costo-beneficio excelente. Su eficacia ha sido verificada, así como su inocuidad sin la menor duda —los rumores sobre calambres y deshidratación se ha demostrado que son infundados—. Si usted no le ha dado una oportunidad a la creatina, debería hacerlo definitivamente.

3

LA GLUTAMINA
Y OTROS SECRETAGOGOS

L a hormona de crecimiento (GH, del inglés *Growth hormone*) es una de las hormonas más importantes para el atleta. Mientras la testosterona consigue la mayor parte de la atención, la GH hace gran parte del trabajo en incrementar su fuerza y masa muscular. La GH tiene un papel muy importante en el crecimiento y retención del músculo debido a su habilidad de promover la división celular y su proliferación a través del cuerpo. Aumenta la síntesis proteica y la retención de nitrógeno, y estimula que el hígado produzca varios factores de crecimiento. La GH también promueve el crecimiento de los huesos y los tejidos conectivos, así como también aumenta los niveles de curación. Incluso, reduce los niveles de grasa corporal incrementando el rango metabólico y aumenta el uso de grasas como una fuente de energía.

Debido a estas variadas características, usted no puede entrenar y funcionar en su máximo apogeo a menos que usted tiene un amplio suministro de GH. Los adolescentes y jóvenes tienden a tener suficiente GH, que es la razón por la que crecen tan rápidamente. Las personas mayores tienen menos y menos cada año. Mientras que la GH "bioingenierizada" está disponible, requiere de una receta, que puede ser obtenida solo si se tiene suma deficiencia de esta hormona. Esto ha llevado a que los fabricantes de suplementos desarrollen varios reforzadores de GH, conocidos como los *secretagogos*, que ayudan a incrementar el suministro de esta hormona esencial.

Este capítulo habla sobre los secretagogos más comunes para la hormona de crecimiento. Unos, como la glutamina y la arginina, son aminoácidos, mientras los otros son sustancias químicas cerebrales o precursores de estas sustancias químicas. Todas ayudan a su glándula pituitaria para liberar más GH.

La glutamina

Los científicos han estado al tanto de la glutamina por décadas pero fue presentado por años "solo" como un aminoácido. Debido a que el cuerpo puede producir glutamina por debajo de las condiciones normales de otros aminoácidos, la glutamina ha sido llamada un amino ácido no esencial, aun cuando tenga muchos roles esenciales en el cuerpo. Sin embargo, cuando usted está enfermo o bajo mucho estrés, las investigaciones recientes ha demostrado que estos suministros de pueden ayudarlo.

Debido a sus altos aniveles de actividad y sus exigencias metabólicas, los atletas pueden desarrollar algunas carencias de glutamina que puede detener su progreso en el entrenamiento. En esta situación, el suplemento de glutamina puede ayudar al atleta para que consiga un rendimiento óptimo.

La glutamina es el aminoácido más abundante en el cuerpo humano. La mayoría de esta glutamina es almacenada en los músculos del esqueleto, aunque las cantidades importantes también son encontradas en la sangre, los pulmones, el hígado y el cerebro. Las células del sistema inmunológico usan glutamina como combustible (muchas de las células del cuerpo usan glucosa). Además, la glutamina suministra combustible para las células mucosas de la pared intestinal, que ayuda a promover la asimilación máxima de nutrientes esenciales para la actividad atlética.

Debido a que tiene un átomo de nitrógeno del que prescindir, es capaz de transportarse por todo el cuerpo. Esta actividad de "puente aéreo" ayuda a que neutralice el ácido láctico que aumenta durante el ejercicio. Cuanto mayor sea la disponibilidad de glutamina, más rápidamente puede ser neutralizado el ácido láctico. Esto puede ayudar a que el ejercicio se reanude antes y puede permitir niveles de resistencia más altos durante la gimnasia. También actúa como un precursor de nitrógeno para algunas coenzimas y moléculas de fotosfato que los músculos usan para la producción de energía.

Este aminoácido tiene un papel en el mantenimiento del balance proteico en el músculo incrementando la síntesis de la proteína e interrumpiendo la reducción proteica. Cuanto mayor sea la cantidad de glutamina en las células del músculo, más alto será el nivel de la síntesis proteica. Esta se debe a que la glutamina incrementa la cantidad de fluido dentro de la célula del músculo, lo cual es una señal poderosa anabólica para la elaboración de nuevas proteínas. Esta voluminización es similar —pero no tan fuerte— a lo producido por la creatina.

Un elevador probado de la Hormona del crecimiento

Un estudio en la Universidad de Louisiana descubrió que ingerir suplementos orales de glutamina tenía un impacto dramático en la secreción de la hormona de crecimiento. Nueve voluntarios saludables entre las edades de 32 a 64 consumieron 2 g de glutamina durante un periodo de veinte minutos que empezaba cada cuarenta y cinco minutos. Las muestras de sangre estaban calculadas cada media hora por plasma GH y el nivel de bicarbonato, que es una sal que puede reducir los niveles de ácido en el cuerpo.

Los investigadores descubrieron que los niveles de GH aumentaron 430 % por encima de los niveles del punto de partida después de noventa minutos. Hubo un aumento dramático en la concentración de bicarbonato también, que podía ayudar a neutralizar el ácido láctico producido durante una gimnasia.

Para estimular la secreción de GH, se debería consumir de 2 a 3 g de glutamina con un vaso de agua varias veces por día. Tomas Wellbourne, el autor del estudio mencionado antes, nota que altos niveles de glicemia impiden a la glutamina promover la liberación de GH. En ese sentido, hay que asegurarse de tomarla al menos una hora después de las comidas o una hora antes de la siguiente.

También, Wellbourne recomienda que no hay que sobrepasar la dosis de 3 g porque grandes cantidades podían ser contraproducentes para la producción de GH.

La glutamina aumenta la inmunidad

El ejercicio agotador pone a prueba el sistema inmunológico. Hay una incidencia más alta de las infecciones y síntomas de resfrío después de una tanda de ejercicio intenso. Investigadores en la

Universidad de Oxford descubrieron que hay una disminución en el nivel de plasma de glutamina en atletas de resistencia después de una maratón. Esta reducción continúa durante una hora, después regresa lentamente a los estados normales que son dieciséis horas después del evento.

Durante este periodo, también hay un punto en el número de linfocitos (glóbulos blancos), que está en función de la glutamina para el crecimiento óptimo. La disminución en el recuento de linfocitos, al mismo tiempo con otro cambio negativo en el sistema inmunológico, es considerada por muchos investigadores como la causa del incremento en la frecuencia de enfermedades entre atletas.

Aquí otra vez, la glutamina puede ayudar. Los investigadores en Oxford y en la Universidad Libre de Bruselas encontraron una correlación entre el consumo oral de glutamina y la ausencia de enfermedad en los atletas entrenados. Ellos midieron los niveles de infección en más de 200 corredores y remeros. Los corredores de distancia media tuvieron el nivel más bajo de infección, mientras que los remeros y los corredores de maratón tenían los niveles más altos.

Después, los investigadores dieron un total de 5 g de glutamina a la mitad de estos atletas, mientras los otros bebieron un placebo. La mitad de la dosis fue tomada justo después de la tanda de ejercicio y el resto fue consumido dos horas después.

Los resultados fueron dramáticos. Solamente el 19 % de los atletas que usaban glutamina reportaron infecciones durante los siguientes siete días, mientras que el 51 % de los atletas que tomaron placebo contrajeron un resfriado o una infección similar. Considerando cómo se frustran los atletas cuando los obligan a tomar un reposo de este tipo, los suplementos con glutamina pueden resultar ser el gran médico buscado.

EL MEJOR RÉGIMEN DE SUPLEMENTOS

Aunque el cuerpo produce de 50 a 120 g de glutamina por sí mismo todos los días, los suplementos han demostrado proveer beneficios adicionales. Mientras, que parte de su dosis termina siendo metabolizado por las células mucosas del intestino delgado, es todavía beneficioso porque el cuerpo usa esta fuente externa en lugar de tomar la glutamina que necesita de los músculos (el área principal de almacenaje para este aminoácido).

Usted puede minimizar este gasto de lo que el músculo tiene almacenado tomando 5 g de glutamina justo antes de su gimnasia. Esto también ayudará a reducir concentraciones de ácido láctico durante el ejercicio. También debe tomar 5 g después de la gimnasia para acelerar la recuperación. Aunque dosis más grandes no puedan estimular la producción de GH, ayudarán a mantener

el cuerpo en un balance positivo de glutamina y minimizar cualquier impacto contrario al entrenamiento. Esto, por sí mismo, puede ayudar a la glándula pituitaria para liberar más GH. Para maximizar los beneficios de la glutamina, hay que tomar de 2 a 3 g entre comidas para aumentar el nivel de GH.

LA ARGININA

La arginina es otro aminoácido que es considerado prescindible porque el cuerpo puede normalmente producir suficiente. Sin embargo, como con la glutamina, la privación dietética, el trauma, la tensión severa, y otras condiciones pueden crear carencias de arginina.

Este aminoácido tiene una variedad de funciones vitales. Es usado para la síntesis de muchas proteínas y es la única fuente para un grupo químico usado por el cuerpo para producir creatina (la lisina y la metionina suministran las otras materias primas químicas.) Promueve la curación de heridas y es encontrado en grandes cantidades en el semen.

La arginina está involucrada en la regulación del óxido nítrico. Los niveles elevados de óxido nítrico dilatan las arterias e incrementa el flujo sanguíneo. Este aumenta el volumen de nutrientes repartidos a los tejidos, y esta es la razón por la que algunas compañías de suplementos incluyen arginina en sus productos de creatina.

La arginina también es requerida para la desintoxicación de amoníaco, que es formado durante el metabolismo de aminoácidos, ácidos nucleicos, y otras sustancias que contienen nitrógeno. Debido a que el promedio de producción corriente del cuerpo es de 3 a 4 de amonios por día, el consumo suficiente de arginina es evidentemente importante.

La arginina puede ser encontrada en cantidades relativamente altas en el pollo, el pavo y las nueces. Sin embargo, los suplementos son necesarios para conseguir un incremento en los niveles de la hormona del crecimiento. Algunos investigadores han informado sobre los efectos positivos en pequeñas cantidades, como de 5 a 10 g de arginina por día, aunque muchos de los estudios han usado dosis más grandes (hasta 30 g). El aminoácido ha sido tomado normalmente justo antes de la hora de acostarse, en un estómago vacío, por lo que puede incrementarse la cantidad de GH durante el sueño, que es cuando el cuerpo secreta las cantidades más grande de esta hormona. ¿Por qué se tiene que tomar más arginina que glutamina para conseguir resultados? Aún no se tiene la respuesta.

Un estudio en la Clínica Médica de Roma, en Italia, descubrió que una combinación de arginina y lisina incrementó altamente los niveles de GH en una dosis mucho más pequeña. Los sujetos de

prueba tomaron 1,200 mg de arginina piro-gluta-mato y 1,200 mg de hidrocloruro de lisina. A los noventa minutos de tomado este suplemento, los niveles de GH se elevaron en un 700 % encima de los niveles de punto de partida. Ocho horas después, los niveles de GH todavía eran elevados por no menos del 300 %. Aparentemente, la combinación con lisina y/o la forma de arginina usada, hicieron la diferencia.

La arginina es generalmente un aminoácido muy seguro. Sin embargo, si se tiene herpes simple o se sufre de esquizofrenia, se debe evitar usarla, pues podría empeorar la condición. Si ese es el caso, lo mejor es escoger un secretagogo diferente.

OTROS SECRETAGOGOS

Muchas investigaciones creen que se puede impulsar hacia arriba los niveles de GH incrementando las concentraciones de los neurotransmisores como la acetilcolina y la dopamina.

De la misma manera que la mayoría de las hormonas, los niveles de estos neurotransmisores disminuyen cuando uno se hace más viejo. Un precursor para el acetilcolina, el alfa-glicerilfosforilcolina, ha demostrado estimular la secreción de GH.

El L-dopa, un aminoácido que el cerebro usa para hacer dopamina, es un secretagogo eficaz. Hecho popular por Durk Pearson y Sandy Shaw en su famoso libro: *Life extensión,* La L-dopa, como se relataba, aumentaba la salida GH en una dosis de 500 mg por día. La L-dopa es producido naturalmente por el cuerpo a través de la oxidación del aminoácido tirosina. Disponible como un medicamento de venta con receta, la L-dopa también es encontrado en las hierbas *Mucuna pruriens* y en frijoles de fava.

Un estudio en la Universidad de Walsh dio una dosis única de un suplemento botánico que contenía 666 mg de *Mucuna pruriens*, 100 mg de de alfa-glicerilfosforilcolina, y 50 mg de *Bacopa monniera* a cinco jóvenes treinta minutos antes de llevar a cabo seis sets de squats. Los investigadores descubrieron que el total de los niveles de GH eran 19.8 % más altos durante los sesenta minutos de periodo de recuperación, mientras que los niveles máximos del GH se incrementaron en casi 90 %.

Otro modo de estimular la liberación del GH es usar productos homeopáticos. Sin embargo es una rama de la medicina que usa altas concentraciones muy diluidas de ciertas sustancias para provocar una respuesta del cuerpo, en este caso, se creía que una cantidad pequeña de GH causaría que la glándula pituitaria segregue más GH.

La homeopatía tiene muchos seguidores, pero la FDA, no es uno de ellos. Considera que tales dosis diluidas son inservibles (aunque inofensivas), y por tanto, permiten que la verdadera hormona de crecimiento sea vendida mientras la cantidad en la píldora sea ínfima. Hay poca investigación sobre estos productos así que se necesitará cada quien experimente y vea qué resultados consigue.

Con el reconocimiento creciente de las muchas contribuciones de la hormona de crecimiento para el rendimiento en los deportes, más y más los atletas están usando secretagogos de GH. Estos pueden ser adiciones valiosas a su suplemento. La glándula pituitaria y el cerebro son órganos complejos órganos con muchos bucles de realimentación, por lo que se recomienda seguir las recomendaciones del fabricante.

4

Vitaminas y minerales

Los atletas necesitan estar seguros de que consumen suficientes vitaminas y minerales. Estos micronutrientes tienen los papeles esenciales en el desarrollo de músculo, la producción de energía, y muchas otras funciones esenciales. Mientras ellos a menudo son dados por sentado, las vitaminas y los minerales le permiten funcionar al máximo.

Los requisitos de micronutrientes se elevan cuando la intensidad del entrenamiento aumenta, así que hay que estar seguro de que se está obteniendo lo suficiente. Al mismo tiempo, tomar más de lo que se necesita es costoso y no provee ningún beneficio adicional.

Este capítulo se circunscribe al papel de las vitaminas y minerales en el aumento del rendimiento atlético. A pesar que estos nutrientes pueden proveer muchos beneficios de salud adicionales, estos temas están fuera de este libro.

Para una mirada detallada en los micronutrientes, conviene revisar la guía breve Vitaminas y Minerales de esta colección, escrita por Jack Challem & Liz Brown.

LAS VITAMINAS

Actualmente hay trece vitaminas que son reconocidas como esenciales para los seres humanos: vitaminas A (retinol), B1 (tiamina), B2 (riboflavina), B3 (niacina), B6 (piridoxina), B12 (cobalamina), el ácido pantoténico, el ácido fólico, biotina, C, D, E, y K. Aunque las necesidades del cuerpo de estos nutrientes son pequeñas comparado con los macronutrientes (proteínas, carbohidratos y grasa), una deficiencia de alguno puede dar como resultado el caer enfermo.

Sin las correctas vitaminas, las reacciones químicas esenciales no se podrían llevar a cabo en los niveles apropiados, afectando los procesos metabólicos de su cuerpo. Algunas vitaminas también actúan como antioxidantes, ayudan a protegernos del cáncer, causando compuestos denominados radicales libres.

Hay dos tipos de vitaminas: liposolubles e hidrosolubles. Las vitaminas liposolubles (A, D, E, y K) pueden ser disueltas solamente en grasa. Una pequeña cantidad de grasa debe ser incluida en la dieta con el propósito de que estas vitaminas puedan ser asimiladas y usadas por el cuerpo. Las vitaminas liposolubles que no son necesitadas inmediatamente son guardadas en los tejidos adiposos para su uso posterior, así que las deficiencias de vitaminas liposolubles son relativamente infrecuentes.

A decir verdad, debido a que estas vitaminas quedan en el sistema por mucho tiempo, los atletas que toman cantidades sumamente altas de vitaminas liposolubles pueden desarrollar niveles tóxicos en sus cuerpos. Por esta razón, debe tenerse cuidado cuando se consume este tipo de suplementos vitamínicos.

Las vitaminas hidrosolubles (vitaminas de complejo B y vitamina C) actúan como coenzimas. Estas se combinan con pequeñas moléculas de proteína para formar enzimas activas. Estas vitaminas se disuelven en agua pero no en grasa. Por consiguiente no pueden ser guardadas en grandes cantidades por el cuerpo. Los suministros de este tipo de vitaminas que no son necesitados inmediatamente, por lo general, son excretados en la orina. Por lo tanto, es necesario comer alimentos y suplementos que contienen estas vitaminas de formar continua para prevenir las deficiencias.

LOS MINERALES

Los minerales también son requeridos para el rendimiento en los deportes. Hay veintidós minerales que son reconocidos como esenciales: calcio, fósforo, azufre, potasio, cloro, sodio, magnesio, hierro, fluorina, zinc, cobre, selenio, yodo, cromo, cobalto, silicio, vanadio, estaño, níquel, manganeso, molibdeno y plomo.

Mientras las vitaminas pueden facilitar las reacciones químicas en el cuerpo sin convertirse en parte de ellos, los minerales generalmente se incorporan dentro de las estructuras físicas y químicas del cuerpo. Los minerales son encontrados en las enzimas y hormonas del cuerpo también. Ellos regulan el equilibrio ácido-base del cuerpo, ayudan controlar el metabolismo celular, y a estimular varias reacciones que permiten a la energía ser liberada de las comidas que tomamos.

Los minerales han sido divididos en dos grupos, conocidos como minerales mayores (o macrominerales) y los microminerales (llamados también oligominerales) dependiendo de la cantidad del mineral que se necesite. Los minerales individuales también varían según el grado de absorción del cuerpo. Esta diferencia, llamada biodisponibilidad, puede extenderse desde 5 % para el manganeso, hasta el 30 a 40 % para el calcio y el magnesio. La biodisponibilidad de un mineral es tomada en consideración cuando el valor diario de esos minerales está establecido.

Debe tomarse en cuenta que los niveles de toxicidad para los minerales son mucho más bajos que para las vitaminas. Esto es porque los minerales son metales, por lo que deben ser tratados con mucho respeto. Tomar demasiados minerales puede dañar la salud definitivamente sin dar ningún beneficio a cambio.

Requerimiento diario para atletas

Los atletas tienden a comer relativamente grandes cantidades de buena comida. Esta dieta debe suministrar una buena parte de su requerimiento total de vitamina y mineral. En algunos casos, podría suministrar todo lo que necesita el atleta de una microsustancia nutritiva particular. También, hay que tener en cuenta que las vitaminas tienen la habilidad de ser usadas una y otra vez en reacciones metabólicas, así que no hay una correlación directa entre niveles de actividad y la necesidad de vitaminas. Sin embargo, todavía, muchos atletas requieren micronutrientes adicionales para realizar sus actividades lo mejor posible. Esto se puede conseguir tomando un suplemento multivitamínico/multimineral que contenga el valor diario por cada micronutriente una o dos veces al día, dependiendo de cuan nutritivas sean las comidas.

Hay cuatro micronutrientes que son particularmente importantes para el crecimiento muscular y la práctica deportiva: vitamina C, vitamina E, calcio, y magnesio. Algunos estudios han indicado beneficios para quienes practican deportes con estos nutrientes en niveles significativamente más grandes que el valor diario.

Las Vitaminas C y E

La vitamina C es bien conocida por su habilidad de ayudar a reforzar el sistema inmunológico. Esta vitamina antioxidante también puede ayudar a neutralizar al radical libre potencialmente perjudicial, el cual ha estado relacionado con varias enfermedades. Los investigadores en la universidad de Cape Town, Sudáfrica, dieron 600 mg de la vitamina a los participantes de una carrera de noventa kilómetros. Descubrieron que el suplemento redujo significativamente la incidencia de los síntomas comunes del resfrío durante este esfuerzo físico agudo.

Otros estudios controlados con placebo han mostrado que de 1 a 2 g de vitamina C por día puede reducir setenta de los síntomas comunes del resfrío. Por lo tanto, para mantener su sistema inmunológico en la condición máxima, usted debería consumir esa dosis todos los días tanto en frutos cítricos, tomates, pimientos verdes, y vegetales de hojas verdes que contienen buenas cantidades de esta vitamina. Si usted no obtiene lo suficiente de su dieta, están disponibles en el mercado pastillas muy económicas.

La vitamina E es otra vitamina antioxidante. Es un liposoluble y se encuentra principalmente en la membrana celular. La vitamina E ayuda a prevenir algún daño de los radicales libres en los músculos y en el flujo sanguíneo y protege los glóbulos rojos también.

Un estudio controlado con placebo en la Universidad Estatal de Pensilvania dio 1,200 IU de vitamina E a seis varones pesistas durante dos semanas. Luego se les pidió que realizaran uno gimnasia vigorosa de cuerpo completo después de un periodo de descanso de dos días. Los suplementos de vitamina E redujeron significativamente el daño muscular producido por este programa de gimnasia.

Lo más recomendable es consumir de 600 a 1,200 IU de vitamina E por día. Buenas fuentes alimenticias que incluyen esta vitamina son los granos, las verduras de hojas verdes y las semillas. Muchos aceites también contienen vitamina E, pero si se prefiere se puede tomar un suplemento para llevar la cuenta calórica.

El calcio

El calcio es el mineral más abundante en el cuerpo humano. Ayuda a regular el latido cardíaco y ayuda a formar y mantener los huesos y los dientes. El calcio reduce concentraciones de ácido láctico en la sangre durante y después del ejercicio. También es esencial para la contracción muscular.

Cuando una fibra muscular es estimulada para contraerse, el calcio se liga a uno de los filamentos dentro de la célula del músculo, y como resultado, lo enciende. Cuando el impulso nervioso llega a la fibra del músculo es removido, los iones de calcio se van hacia atrás, a su ubicación de almacenaje, con lo que se detiene la contracción muscular.

Para asegurar un suministro de calcio suficiente, se debería consumir 16 mg de calcio por kilo del peso del cuerpo. Se puede hallar en la leche desgrasada y yogur, en el queso de mozzarella, el brócoli y las verduras de hojas verdes. Si se necesitase más, podría comprarse carbonato de calcio o tabletas de citrato de calcio.

LAS ACTIVIDADES DEL MAGNESIO

El magnesio ayuda a controlar la síntesis del carbohidrato y es un activador esencial de muchos sistemas de enzimas. Contrarresta el efecto de estimulador del calcio en las fibras del músculo y ayuda prevenir los calambres musculares. Un estudio en la universidad de Dakota del Norte encontró que este aumenta el envío de oxígeno a los músculos activos en personas que se ejercitan. Los suplementos de magnesio también ha sido demostrado reducen el nivel de hormonas que puede producir una pérdida del tejido muscular.

A pesar de su importancia, el cuerpo contiene menos de 20 g de magnesio, del cual el 27 % se halla en el músculo. La dosis adecuada es de 8 mg de magnesio por kilo del peso del cuerpo. Hay pocas fuentes de magnesio, como el bacalao, las castañas, y algunos mariscos. La mayoría de cereales y verduras contienen pequeñas cantidades. Afortunadamente, el magnesio en tabletas es económico.

Suministrando su cuerpo con un espectro equilibrado de micronutrientes, se puede asegurar que ninguna vitamina o mineral se convierten en un factor restrictivo del crecimiento muscular. Considerando el precio moderado de estos suplementos, uno puede conseguir las suficientes vitaminas y minerales todos los días.

5

La Ecdisterona

Durante la Guerra Fría hubo una gran cantidad de rumores acerca de las técnicas "secretas" de entrenamiento que seguían los atletas de la Unión Soviética. Dependiendo de quién hacía la narración, todas las teorías implicaban esteroides anabólicos, sujetos sumidos en extraños programas de entrenamiento que incluían tratamientos psicológicos y lavados de cerebro. A veces, incluso, algunos decían que dichos programas tenían todo esto junto, mientras el rumor crecía envuelto en una gran amalgama de misterio. Sin embargo, perdido dentro de esta histeria estaba la verdad: el uso de los atletas de sustancias naturales como la ecdisterona.

UN ADAPTÓGENO QUE TRABAJA

> **ADAPTÓGENO**
>
> *Hierba que tiene un efecto variable dependiendo del estado físico de quien lo ingiere. Cuánto más lejos se está de un óptimo estado físico, más beneficio se recibe.*

Los rusos que dominaban la U.R.S.S. siempre fueron fervientes creyentes del poder que encerraban las plantas. Así, mientras estas aproximaciones eran desdeñadas por los investigadores americanos —quienes creían que solo los fármacos refinados podrán tener valor alguno—, los rusos experimentaban con las hierbas. Su principal interés se centró en las que eran adaptógenas, es decir aquellas plantas que tenían la habilidad de restaurar de manera óptima a un atleta que había quedado agotado por el entrenamiento.

A pesar de que el concepto de los adaptogenos puede ser muy difícil de entender, es un criterio muy extendido y reconocido en Asia y también en diversas partes de Europa donde las hierbas juegan un rol importante en la medicina nacional y popular.

Si usted se encuentra en óptimas condiciones físicas, no notará mayor cambio por el uso o consumo de estas hierbas. Sin embargo, si usted está agotado y cansado por diversas circunstancias, como los atletas suelen estarlo usualmente, sí verá cambios radicalmente positivos.

Cuando cayó la Cortina de Hierro, los occidentales se interesaron muchísimo en la eficacia del *Rhaponticum carthamoides*, también conocido como *Leuzea carthamoides*. Esta hierba es una planta perenne que crece en Asia Central. Largamente reconocida como rejuvenecedora y estimulante metabólico en el folclore local, los científicos descubrieron que contenía una alta concentración de ecdisteroides, especialmente de el 20-hidroxiecdisona (20-E).

LOS ECDISTEROIDES ESTÁN EXTENDIDOS

Hay aproximadamente 200 miembros en la familia de los ecdisteroides —casi todos químicamente relacionados con el 20-E— los cuales están extendidos en las plantas e incluso en los insectos. A decir verdad, los ecdisteroides son las hormonas esteroides de los invertebrados, y funcionan como la testosterona en los hombres. Los ecdisteroides regulan muchos de los procesos bioquímicos y fisiológicos de los insectos, incluyendo la maduración y la reproducción.

El papel de los ecdisteroides en las hierbas todavía es poco claro, aunque al parecer está relacionado con la protección a la planta del daño causado por los insectos. Las más altas concentraciones se encuentran en aquellas partes de la planta que son las más importantes para su super-

vivencia. En muchas especies, el 20-E es el ecdisteroide más común, y es considerado como el más biológicamente activo de estos compuestos.

Una revisión de miles de especies de plantas ha revelado que la *Rhaponticum carthamoides* tiene la proporción más alta de 20-E con otras plantas de características parecidas.

Aun cuando la falta de investigación sobre la *Pfaffia paniculata* hace difícil hacer una afirmación importante, hay que tener en cuenta que es otro ecdisteroirde extraído de una hierba que, al parecer, es muy eficaz. En ese sentido, puesto que toda la atención está centrada en la *Rhaponticum carthamoides*, esta es, de momento, la mejor opción para obtener el 20-E.

Entre las verduras, la espinaca tiene la concentración más alta de 20-E. ¿Quizás aquí esté el secreto de los grandes brazos de Popeye?

PROPIEDADES ANABÓLICAS

Debido a que es posible encontrarlos en distintas plantas, los ecdisteroides son comúnmente hallados en los seres humanos, pero en bajas concentraciones. Pasan a través de las fuertes condiciones de los ácidos estómacales sin aparentes cambios en su estructura y son fácilmente asimilados. Los niveles máximos en la sangre aparecen desde los treinta minutos a las dos horas después de que son consumidos, dependiendo de si la comida es ingerida al mismo tiempo que los ecdisteroides.

Después, son eliminados relativamente rápido de la sangre. La ecdisona, que es un ecdisteroide bastante común, tiene una vida media de cuatro horas, mientras que el 20-E tiene una vida media de nueve horas.

Los ecdisteroiodes tienen varias propiedades de anabólicas. Algunos estudios han mostrado un aumento en la síntesis proteica con la administración de ecdisterona. Un estudio japonés sobre ratones encontró que el 51 % aumentó sus niveles de proteína cuando les era suministrado oralmente 5 mg de ecdisteroides por kilogramo de peso. El aumento en niveles de proteína alcanzó el tope máximo de dos a cuatro horas después de administrada la ecdisterona. Estos resultados también fueron confirmados por los estudios rusos.

En todos los casos, los cambios eran en gran parte atribuibles a un aumento en la actividad del ribosoma. Los ribosomas son proteínas celulares que unen o enlazan aminoácidos para formar a su vez nuevas proteínas. También leen el ARN mensajero (ARNm)* y ensamblan la proteína con los aminoácidos suministrados por los ARN de transferencia (ARNt)**, este proceso se denomina *síntesis de proteínas.*

Cabe recordar que el cuerpo puede crear nuevas proteínas musculares solo si la materia prima está disponible. Por lo tanto, conviene asegurarse de comer mucha proteína dietética cada día (por lo menos, 2 gramos por cada kilo de peso que se tenga). Esto le proveerá un suministro suficiente de aminoácidos que sus ribosomas podrán incorporar en las nuevas proteínas musculares. Y, por supuesto, le permitirá dar el 100% en el gimnasio.

MÁS VENTAJAS PARA ATLETAS

El entrenamiento es un trabajo duro, y si se hace bien, nos quita energía. Por lo tanto, poder aumentar la capacidad de trabajo sería muy recomendable. Después de todo, cuanto más tiempo se ejercite uno, más cerca estará de alcanzar sus metas deportivas.

---

*El ARN mensajero —que es un ácido nucleico monocatenario, al contrario que el ADN que es bicatenario— es el ácido ribonucleico que contiene la información genética procedente del ADN para utilizarse en la síntesis de proteínas, es decir, determina el orden en que se unirán los aminoácidos.

**El ARN de transferencia es un tipo de ácido ribonucleico encargado de transportar los aminoácidos a los ribosomas para incorporarlos a las proteínas, durante el proceso de síntesis proteica.

Algunas investigaciones rusas han encontrado que la capacidad de ejercitarse mejora con los ecdisteroides. Un estudio con ratones descubrió que con un extracto de *Rhaponticum carthamoides* estos incrementaron el tiempo de natación en 22 %, mientras que la longitud del tiempo en la que los ratones podían correr antes de agotarse aumentó en 32 %. Asimismo, un estudio de veinte días con 44 atletas encontró similares resultados favorables en su capacidad de trabajo. Desafortunadamente, la información respecto a las dosis utilizadas en estos estudios no está disponible.

Actualmente la mayoría de los atletas están interesados en ganar tamaño muscular y fuerza, y algunas investigaciones indican que la ecdisterona puede ayudarlos con ello. Un estudio llevado a cabo en la *Czech Academy of Sciences* encontró que el 20-E era eficaz para incrementar el ritmo de crecimiento de las codornices japonesas. Estos animales, que crecen rápidamente de todos modos, tenían un 7 % más de masa corporal que el grupo de control en solo 4 semanas cuando se les dio 20 mg de 20-E por kilogramo de peso. Esto ocurrió a pesar de que los del grupo al que se le administró el 20-E comió menos, lo cual indica a su vez que la ecdisterona puede también mejorar la eficiencia en la asimilación de los alimentos.

Estos estudios muestran, en consecuencia, que los ecdisteroides pueden ser agentes anabólicos eficaces. Incluso mejores, porque los estudios toxicológicos demuestran que los ecdisteroides son muy seguros pues no operan a través de las rutas hormonales, por lo cual no producen los efectos negativos que ocasionan los esteroides anabólicos. En consecuencia, esto los convierte en la mejor opción para uso a largo plazo.

La otra salud

Los ecdisteroides también tienen otros beneficios. Un estudio publicado en *Eksperimentalnaia I klinicheskaia Farmakologiia* descubrió que la ecdisterona incrementó el número de relaciones sexuales en las ratas y mejoró su comportamiento, especialmente en los primeros días. Los científicos, que dieron a las ratas 5 mg de ecdisterona por cada kilogramo de su peso, durante diez días observaron que las copulaciones aumentaron y que mejoró la calidad del esperma.

Otros experimentos han mostrado también que los ecdisteroides tienen propiedades antioxidantes, pues reducen la oxidación del LDL colesterol —o también conocido como el "colesterol malo"—. Los ecdisteroides han estimulado a su vez, la función inmune en ratones con una dosis de 5-20 mg/kg. Adicionalmente a esto, un estudio en 60 cadetes de la Unión Soviética y 47 marinos demostró que mejoró su apetito y su estado mental con dosis de ecdisteroides en su dieta. Como es

evidente, estos estudios refrendan el uso tradicional de *Rhapoticum carthamoides* como un rejuvenecedor.

Con esta cantidad de beneficios, no sorprende que la ecdisterona y los ecdisteroides relacionados se hayan convertido actualmente en parte de los suplementos esenciales en la dieta de muchos atletas. Promocionan la síntesis proteica, aumentan la capacidad de trabajo e incrementan la masa muscular. Como con todas las hierbas, usted debe asegurarse de considerar las dosis utilizadas en los estudios y tomar cantidades similares. Y, para obtener el máximo efecto, escoja un extracto con una concentración alta de 20-E.

Finalemente, recuerde que un uso apropiado de los ecdisteroides puede resultar sumamente valioso para su programa de entrenamiento.

6

EL GINSENG Y EL ASTRÁGALUS

El ginseng es una de las hierbas más populares en el mundo entero, mientras que el astragalus es relativamente desconocido en los países occidentales. Ambas hierbas tienen beneficios importantes para el atleta, desde el aumento de la resistencia y fuerza hasta el realce de la función inmune. De la misma manera que el *Rhaponticum carthamoides*, el ginseng y el astragalus trabaja por rutas no hormonales, así que pueden ser usados por periodos prolongados. Pero toma un tiempo ver los efectos.

El ginseng ha sido el tema de una gran variedad de experimentos e investigaciones en países occidentales, tanto en animales, como en seres humanos. Los resultados de estos estudios son discutidos en este capítulo. Casi todos de los experimentos con astragalus han sido realizados en China donde es mucho más popular que el ginseng. La conclusión de estos estudios es que el ginseng y el astragalus ayudan a funcionar mejor en el deporte siempre que se consuma un extracto estandarizado por un largo tiempo.

LAS MUCHAS CLASES DE GINSENG

Mientras el ginseng es considerado como una única planta, en realidad hay de tres a nueve tipos, dependiendo de quién realiza la clasificación. Los tres ginseng más populares son el *Ginseng panax* (ginseng chino o coreano), *Panax quinquefolius* (ginseng estadounidense) y *Eleutherococcus senticosus* (ginseng siberiano). Casi todas de las investigaciones en seres humanos se han realizado con el *ginseng Panax*, que es la más estimulante.

Las otras plantas que son similares a estos ginsengs son *Panax pseudoginseng* (ginseng de Tienqui), *Panax japonica* (ginseng japonés), *Codonopsis pilosula* (ginseng postizo), *Angelica sinesis* y *Glehnia littoralis* (las raíces de glehnia). Aunque se repitan los nombres botánicos, varios de estos "ginsengs" no están siquiera en la misma familia de planta de las variedades Panax

Al momento de adquirir un suplemento de ginseng hay que asegurarse de mirar bien la etiqueta para ver qué hierba contiene. Los ginsengs que no son Panax, son mucho más débiles que el auténtico, así que se puede comprar por error una imitación barata.

Si el suplemento no especifica qué tipo de ginseng contiene, escoja un producto diferente.

EL REY DE LAS HIERBAS

El ginseng de Panax es reverenciado en China como el Rey de las hierbas por siglos. Se dice que sirve para rellenar el qi, o la fuerza de vida, del cuerpo a través de un número de mecanismos. El ginseng de Panax trabaja con el cuerpo para ayudar a restituir el balance. Los profesionales chinos lo usan como un tónico para incrementar la fuerza física y la energía, así como para promover el correcto funcionamiento de los órganos del cuerpo. También lo usan para tratar la fatiga.

Construye la resistencia por medio del aumento de la habilidad corporal para adaptarse a la tensión. Fue usada exhaustivamente en los ex países soviéticos como una manera de aumentar la fuerza y el rendimiento atlético. El ginseng siberiano y *Rhaponticum carthamoides* también eran usados para estos propósitos.

Varios estudios con animales han confirmado estos beneficios. En uno de estos estudios con placebo en la Universidad de Alberta se usaron ratas no acostumbradas al ejercicio y se encontró un aumento importante en el máximo de VO2 (medida de buena salud aeróbica que mide el volumen Máximo de oxígeno que los pulmones pueden

retener) después de cuatro días de inyecciones de ginseng saponin.

El tratamiento con ginseng también incrementó la cantidad de ácidos grasos libres en la sangre y preservó los niveles de glucosa durante el ejercicio. Estas alteraciones son favorables para el atleta, pues le permiten quemar más grasa y mantenerse en forma "golpeando la pared" debido al bajo nivel de glucosa. El resultado final es una mayor resistencia en el ejercicio.

Un estudio publicado en *Ethnopharmacology* dio 100 mg/kg de un extracto de ginseng acuoso a ratones de forma oral durante siete días. El *ginseng de Panax* produjo un aumento importante en el tiempo de natación comparado con el grupo de control. También hubo un aumento en el peso corporal y en la masa del *levator ani muscle*, el músculo que moldea el piso de la capacidad pélvica (este era el único músculo estudiado). Además, un experimento en la Universidad Médica y Farmacéutica de Toyama con ratas envejecidas descubrieron que 8 g/kg por día del extracto, dado de forma oral durante doce días incrementó su rendimiento en aprender un camino por a través de un laberinto.

Eficacia en seres humanos

Estos estudios con animales, y otros tantos antes de ellos, mostraban que el *ginseng panax* era efectivo para aumentar el rendimiento en roedores. Lógicamente, los científicos comenzaron sus estudios con humanos, usando las mismas cantidades de ginseng para determinar los efectos en las personas. Sin embargo, en muchos casos estos no se dieron.

En los estudios con animales a los que se les daba la hierba de forma oral, usaron un mínimo de 100 miligramos por kilogramo del peso del cuerpo. El peso promedio de una persona es de 80 kg. Esto quiere decir que una dosis equivalente para un ser humano sería de 8 g. Incluso, en la mayoría de estudios con humanos se usaron 200 mg del extracto estandarizado o 2,5 mg / kg. ¡Y sucedió la sorpresa: los estudios mostraban que el ginseng ¡no surtía efecto!

Cuando se dan los niveles apropiados de *ginseng Panax* en periodos lo suficientemente largos, recién se muestra la eficacia de esta hierba. Un estudio de seis semanas controlado con placebo, publicado en la *International Clinical Nutrition Review*, dio 1 g de polvo de raíz de ginseng por día a quince hombres y quince mujeres. Comparado con el placebo, el *Panax ginseng* mejoró significativamente el máximo de VO2. El ritmo del corazón de los sujetos en prueba era seis latidos por minuto más bajos durante seis minutos después del ejercicio, sugiriendo una mejora en la recuperación. Incluso mejoró la resistencia pectoral, se incrementó en 22 %, mientras que la resistencia de cuádriceps aumentó 18 %. Sin embargo, no hubo un aumento importante en la fuerza de los puños.

Un estudio danés dio 400 mg de extracto estandarizado a 112 voluntarios sanos durante ocho a nueve semanas. Los investigadores notaron que los tiempos de reacción eran más rápidos entre los participantes. También, en un resumen presentado en el XXIII Congreso FIMS Mundial de Resúmenes de Medicina Deportivos se resaltó la resistencia mejorada, VO2max, la recuperación post ejercicio, y el tiempo de reacción simple en un estudio, pero la dosificación dada a los voluntarios no fue señalada.

LOS OTROS GINSENGS

No ha habido mucha investigación de los beneficios de los otros ginsengs. *Panax quinquefolius* (ginseng de América) es usado como tónico y reductor natural de tensión. De acuerdo con los profesionales de la medicina china tradicional, también ayuda a desarrollar el *qi*, o la fuerza vital, aunque sea menos estimulador que el *ginseng Panax*. El Ginseng americano promueve la fuerza aumentando la inmunidad a través de varios mecanismos.

Curiosamente, el ginseng americano es más popular en China que en esta parte del continente. La mayoría de las cosechas norteamericanas es exportada a Asia, donde el *panax quinquefolius* tiene una reputación de afrodisíaco. El Ginseng americano es combinado con *ginseng Panax* para producir una mezcla herbal que aumentar los niveles de energía, mientras todavía se está aliviando la tensión.

El ginseng siberiano (*Eleutherococcus senticosus*) no es de la misma familia de planta como las variedades de Panax. Sin embargo, tiene algunas de las mismas cualidades como la estimulación y los efectos de tonificantes. De la misma manera que *Rhaponticum carthamoides*, es originario de Rusia y ha sido usado por generaciones para incrementar la fuente de fortaleza y resistencia de los atletas de ese país.

Un estudio en dos universidades japonesas dio 300 mg por día del ginseng siberiano a seis varones para determinar su efecto sobre la capacidad de trabajo. Este estudio encontró los aumentos importantes en el trabajo total y el tiempo de agotamiento comparado con el grupo de placebo, luego de ocho días de dar el suplemento. Los investigadores llegaron a la conclusión de que las mejoras eran atribuibles a los cambios en el metabolismo de los participantes, notando que el VO2max también aumentó.

Ningún estudio hasta la fecha ha comparado los beneficios de *ginseng Panax* con ginseng americano o siberiano. Tampoco hay una investigación sobre las otras clases de ginseng. Por ahora, habría que evitarlos.

CONSEJOS PARA USAR GINSENG

Numerosos estudios han confirmado que el ginseng puede significar una ayuda fundamental para los atletas, pues incrementa su fuerza y su potencia aeróbica, mientras que a la vez aumenta la recuperación y el estado de alerta de la mente. Sin embargo, hay que tener en cuenta que el ginseng es una hierba no un medicamento de venta con receta, por consiguiente, necesita tomar una cantidad relativamente grande para conseguir los resultados que usted quiere (aunque la dosis es menor que la creatina o la glutamina).

Siempre hay que usar un extracto de raíz estandarizado y evitar los productos que son simplemente polvo de raíz y aquellos que dicen solamente ginseng. Si la raíz no está especificada, el fabricante posiblemente ha sustituido los niveles menos costosos (y menos beneficiosos), así como las ramas de la planta. En la raíz es donde se han encontrado las concentraciones más altas de los ingredientes activos, así que no se vaya solo por el miligramo por cápsula. Compre algo legítimo.

Los químicos más beneficiosos en las plantas son *saponin glicosilado esteroidal*, generalmente conocidos como ginsenosidas. Trece ginsenosidas diferentes han estado aisladas hasta ahora, y cada una tiene propiedades específicas. El más frecuente de los *ginseng Panax* y *Panax Quinquefolius* son: Rb', RBc'y Rg' aunque la concentración dentro de estas dos hierbas varía.

Debido a que estos ginsenosidas interactúan con otros, los especialistas de hierbas recomiendan que se use un extracto completo de raíz, en lugar de una rama que solamente tiene un ginsenosida especial. Además, en este punto, no sabemos lo suficiente sobre las propiedades de cada uno. Esto se queda como un tema para futuras investigaciones.

Cómo Maximizar los beneficios del ginseng

Todos los extractos están estandarizados para el total de ginsenoida, así que vaya por el más fuerte que pueda conseguir. Actualmente, existe una gama de productos en el mercado que contienen ginsenosida. El producto más conocido tiene 4 % de gisenosidas aunque puede comprar productos con ginsenosidas de hasta 10 %. Si la etiqueta no menciona el contenido de ginsenosida, escoja otra marca. El fabricante no lo omite por ahorrar tinta en la etiqueta, sabe a lo que me refiero.

Idealmente, el extracto también incluirá la estandarización para los polisacáridos. Esto es porque hay componentes beneficiosos en el ginseng aparte de los ginsenosidas. Apunte hacia un producto que tenga 10 % de polisacáridos.

Mientras la dosis precisa dependa de los porcentajes de ginsenosidas y polisacáridos, se debería consumir un mínimo de 500 mg de extracto por día. Empiece con esta cantidad e increméntelo a 750 mg y luego 1,000 mg por día, según sea su necesidad. Es conveniente darle tiempo al cuerpo para adaptarse a este extracto de hierbas. También, sería apropiado tomarlo por un periodo mínimo de tres meses antes de determinar si se quiere continuar a largo plazo. Hay que tomar en cuenta que toma tiempo obtener los beneficios del ginseng.

EL ASTRAGALUS

El *Astragalus membranaceus* ha sido usado por miles de años en la medicina tradicional china como parte de la terapia Fu Zheng para aumentar los mecanismos de defensa natural.

Los herbolarios chinos han utilizado el astragalus para tratar todo tipo de fatiga y agotamiento. La hierba sirve para estabilizar el exterior del cuerpo e incrementar su resistencia en la enfermedad, aumentando la circulación del *wei qi*, o la fuerza vital protectora, sobre la superficie del cuerpo. Esto aumenta la habilidad de la función inmunizadora y empuja al cuerpo a adaptarse a la tensión.

¿Qué diferencia tiene para el atleta? El ejercicio es intrínsecamente estresante. El cuerpo es forzado a realizar movimientos intensos, que pueden reducir su resistencia. Muchos atletas han contraído un resfriado o la gripe porque entrenaron tanto que su cuerpo quedó propenso a cualquier efecto exterior. Fortificando su sistema inmunológico, se puede ayudar a prevenir estos episodios que agotan la fuerza con la enfermedad.

Los investigadores han emprendido numerosos experimentos con el astragalus para confirmar sus beneficios y se ha verificado con ellos que el astragalus tiene un efecto antioxidante muy poderoso. La hierba también estimula la producción de glóbulos blancos, células madres, macrófagos, y linfocitos, ayudando al sistema inmunológico y acelerando la curación. Asimismo, también ayuda a proteger el hígado de toxinas, y se ha demostrado que incrementa la movilidad de los espermatozoides.

Un estudio en la Japanese Journal of Hygiene dio dosis diarias de 200 mg/kg de astragalus a ratones. Después ellos fueron forzados a realizar carreras rápidas por sesenta minutos, cinco veces al día por doce semanas. Los científicos encontraron que el astragalus intensificaba el funcionamiento de sus sistemas de defensa, permitiéndoles tolerar más el régimen de ejercicio.

El astragalus tiene muchos componentes activos. La mayoría son productos químicos vegetales llamados astragalosidas, siete de las cuales han sido aisladas. El astragalus es también una fuente natural de metoxiisoflavona (se hablará de ella en el capítulo 8).

Como el ginseng, los productos con astragalus en el mercado, tienen muchísimas cualidades. En ese sentido, se recomienda solo comprar extracto de astragalus, preferiblemente aquellos que son líquidos. Hay que evitar los que vienen en polvo. Y es bueno asegurarse que el contenido ofrezca por lo menos un 1% de flavonoide y 20% o más de polisacáridos.

SINERGÍA ENTRE GINSENG Y ASTRAGALUS

El astragalus es usualmente combinado con el Ginseng en la medicina china tradicional debido a sus acciones de sinergéticas con dicha hierba. Mientras el ginseng estimula los niveles de energía "agresiva" del cuerpo, el astragalus refuerza las energías "defensivas", promoviendo el balance.

Un estudio reciente en la Universidad de Wichita revisó el impacto de un suplemento patentado que combina creatina con dos formas de ginseng y astragalus. Cuarenta y cuatro voluntarios fueron divididos en tres grupos. Un grupo recibió un placebo, otro tomó 3 g de creatina por día, y un tercio tomó 3 g de creatina más 1,500 mg de un extracto de hierbas que eran 50% de astragalus, 30 % de ginseng de Panax y 20 % de Panax quinquefolius.

Los sujetos de prueba hicieron ejercicios fuertes por cuarenta minutos tres veces por semana durante doce semanas.

"Las dosis con creatina y mezcla de hierbas, produjo aumentos de resistencia estadísticamente importantes comparado con el placebo en todos los ejercicios medidos", dijo el investigador principal, el Dr. Michael Rogers. En el ejercicio de barra, los voluntarios que usaban esta mezcla presentaron aumentos en la resistencia tres veces más grande que aquellos que tomaron solo creatina. También hubo aumentos dramáticos en la función inmune.

Estas conclusiones confirman que el ginseng y el astragalus son hierbas fuertes, especialmente cuando se toman juntas. Para el beneficio máximo, se recomienda utilizar un producto que contiene un extracto solo hecho de estas hierbas en la proporción 50/30/20.

7

LA FOSFATIDILSERINA (PS)

El ejercicio físico genera cambios hormonales tanto durante como después del ejercicio. Estas hormonas tienen una variedad de impactos en los músculos y en otros tejidos. Algunos son positivos porque ayudan al cuerpo para recuperarse del estrés causado por el ejercicio. Otros, en cambio, son negativos porque retrasan la recuperación del cuerpo.

Una de estas hormonas que puede ser considerada negativa, es el cortisol, que es el principal glucocorticoide segregado por la corteza suprarrenal.

A menudo, los atletas tratan de reducir la secreción del cortisol porque suprime la formación proteica y estimula la síntesis de las proteínas en otros tejidos como el hígado, por ejemplo. Sin embargo, a pesar de esto, tiene también funciones vitales como apoyar a la hormona del crecimiento, aumentar la producción de glucógeno en el hígado e inhibir la utilización periférica de glucosa.

Asimismo, también favorece la utilización de ácidos grasos como fuente de energía y actúa como agente anti inflamatorio.

Como dice el Ph. D., Thomas Fahey, profesor en educación física de la Universidad de California: "Suprimir un poco los niveles de cortisol resulta provechoso debido al papel que desenvuelve en controlar la síntesis proteica. Sin embargo, no sería bueno jamás suprimir la producción de cortisol completamente, porque ¡está allí por un propósito!".

En eses sentido, dado que puede resulta positivo reducir un poco los niveles de cortisol, los investigadores han descubierto que la Fosfatidilserina puede cumplir ese rol, posibilitando una recuperación del cuerpo más veloz.

LOS BENEFICIOS

La fosfatidilserina (PS) es un nutriente esencial en nuestras células. Es una de las numerosas moléculas a base de grasa que ayudan mantener la membrana celular. La PS está particularmente llena de células nerviosas, lo cual le permite comunicarse con otras células para promover la acumulación, el almacenamiento y la liberación de neurotransmisores como la dopamina (esto ayuda a mejorar la memoria). La PS también favorece el

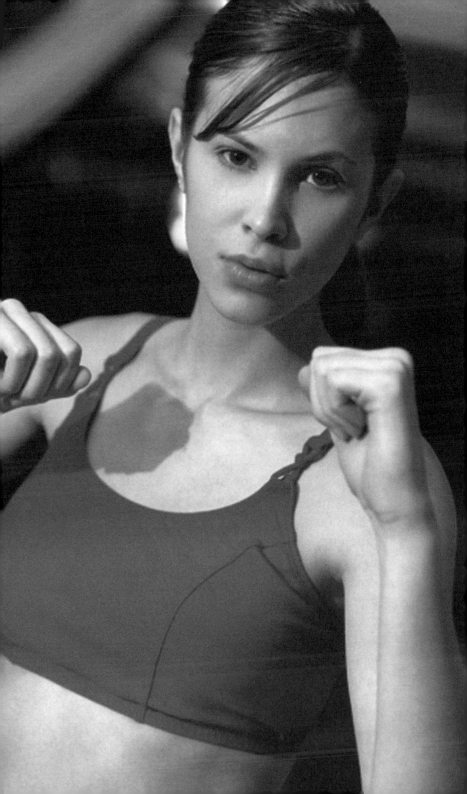

transporte de los nutrientes a las células y colabora para remover de ellas los desperdicios orgánicos.

Los científicos descubrieron que con suplementos orales de PS se puede reducir el nivel de cortisol. Un estudio en la Universidad de Nápoles, Italia, dio 400 mg y 800 mg de PS a ocho hombres sanos que llevaron a cabo un régimen de ejercicios sobre una bicicleta con ergómetro. Los investigadores descubrieron que quienes consumieron 400 mg de PS redujeron sus niveles de cortisol en la sangre en un 16 %, mientras que los otros, bajaron dichas concentraciones en un 25 %.

Fahey y sus colegas de investigación llevaron a cabo un segundo estudio. A diez levantadores de pesas se les suministró 800 mg de PS diariamente y se les sometió a un fuerte trabajo físico cuatro veces por semana con la intención de sobre entrenarlos. Cada atleta recibió PS por 2 semanas, y después repitieron el ejercicio físico por otras dos semanas más. Para medir sus niveles de cortisol en la sangre, durante el proceso, se tomaron muestras 15 minutos después de finalizado el ejercicio y también 23 horas más tarde.

El estudio descubrió que la PS redujo los niveles de cortisol post-ejercicio en un 20%. Además, las entrevistas a los atletas a la salida del programa, revelaron que con la PS se "sentían mejor" y tenían menos dolores musculares producidos por el esfuerzo. Sin embargo, en muestras de la segunda toma —después de 23 horas de terminados los ejercicios—, no hubo mayor diferencia en los niveles de cortisol. Esto significa que, aparentemente, el cuerpo es capaz de volver a los niveles de cortisol usuales durante este periodo sin la PS.

MUCHAS DUDAS

Estos estudios muestran claramente que la PS reduce los niveles de cortisol, cuando es administrada oralmente. Sin embargo, aún se desconoce si la producción de cortisol es un factor limitante en la recuperación y el crecimiento muscular. "La ciencia avanza con pequeños pasos", dice Fahey. "Primero hemos establecido la correlación entre el cortisol y el ejercicio. Después investigaremos las implicaciones de este descubrimiento".

Aunque se ha descubierto que la PS reduce los niveles de cortisol, todavía los investigadores no saben si ingerir suplementos de PS puede permitir una recuperación más rápida o mejorar el rendimiento deportivo.

La PS se puede encontrar solo en pequeñísimas cantidades en la mayoría de los alimentos. Puesto que el cuerpo es capaz de producir PS por su propia cuenta, pero en cantidades ínfimas, el tomar suplementos es, hasta ahora, la mejor opción.

Dosis recomendada
y efectos secundarios

La fosfatidilserina (PS) es vendida en cápsulas de 500 mg o en pastillas que tienen una combinación de PS y otros fosfolípidos, (generalmente el 50% es PS). La dosis usual es de dos a tres cápsulas por día, que en total es casi similar a las dosis encontradas como eficaces en los estudios clínicos.

Cuando la PS se toma oralmente es absorbida rápidamente. Sin embargo, la dosis pura de PS debe ser mantenida solo alrededor de los 250 mg. Para esto hay dos razones. La primera es su elevado precio. La segunda razón es que en raras ocasiones, dosis mayores a la mencionada (250 mg), puede causar náuseas. Este efecto se minimiza si la PS se ingiere con comida. Por otro lado, tampoco es recomendable tomarla antes de ir a dormir, porque puede dificultar conciliar el sueño. Al parecer, hasta el momento, no se han reportado otro tipo de efectos secundarios si se han ingerido las dosis recomendadas.

En el futuro, la PS tal vez llegue a ser considerada como un nutriente anticatabólico muy importante. Sin embargo, hasta que se realicen mayores y más profundos estudios, se necesitará que cada quien experimente con prudencia y observe los beneficios que obtiene.

8

METOXIISOFLAVONA E IPRIFLAVONA

En los últimos años, una gran cantidad de productos han sido introducidos al mercado trayendo en su contenido metoxiisoflavona e ipriflavona. Juzgando la gran acogida que han tenido, parece que los atletas los han encontrado muy efectivos. Sin embargo, como lamentablemente estos nutrientes son tan nuevos y recientes no existe una adecuada investigación sobre ellos. Así que, en ese sentido, lo más apropiado es que cada quien lo pruebe y vea qué mejoras obtiene de manera particular.

HAY MUCHOS METOXIISOFLAVONAS

Las flavonas son substancias naturales que pueden encontrarse fácilmente en frutas y verduras. Poseen una variedad de beneficios saludables si son incluidos en la dieta. Un ejemplo de ello es que pueden disminuir el riesgo de contraer diversos tipos de cáncer. Esto ha originado que muchos científicos se hayan interesado en estudiar el mecanismo que está detrás de ellos.

Dos estudios de laboratorio han mostrado que la Biocanina A (5,7 dihidroxi-4- metoxiisoflavona) inhibe la actividad de la enzima aromatase, que convierte la testosterona en estrógeno. Otro estudio de laboratorio ha demostrado que la Biocanina A inhibe ligeramente la enzima 5 alfa-reductasa, que es la enzima que convierte la testosterona en dihidrotestosterona —hormona culpable de la mayoría de problemas de la próstata que padecen los hombres maduros.

Mientras la soja es una buena fuente de Biocanina A, un estudio en el *Institute of Endocrinology in Prague*, descubrió que la cerveza también contiene isoflavona, junto con la formononetina (7 hydroxi-4-metoxiisoflavona). Es bueno saber que existen algunos nutrientes beneficiosos en la cerveza, pero no hay que beber mucho por esta razón, ¿eh? ¡La cerveza no es exactamente el desayuno de los campeones!

Como puede verse, hay más de una metoxiisoflavona (pasaré por alto el resto de la lista); sin embargo, el único que los fabricantes incluyen en sus fórmulas es el 5-metil-7metoxiisoflavona, no la Biocanina A. Esto es importante porque los reclamos a veces son hechos por productos que utilizan

investigaciones en isoflavonas similares, pero no idénticas a la mencionada.

5-METIL-7: LA PATENTE

El 5-metil-7 es la forma de metoxiisoflavona que fue desarrollada en Hungría. En 1979, una compañía de Budapest recibió la patente 4,163,746 en Estados Unidos y obtuvo así el control exclusivo sobre la invención hasta mediados de los noventa, razón por la cual estos productos empezaron a aparecer en el mercado recién hace pocos años.

En la solicitud de su patente, los inventores dijeron que el 5-metil-7 incrementaba la retención de calcio y fósforo hasta niveles importantes. De hecho, uno de los primeros usos para este compuesto —y otro relacionado a la isoflavona, la ipriflavona— fue para tratar la osteoporosis. Los inventores notaron también que el 5-metil-7 aumentaba la retención del nitrógeno, lo cual permitía una mejor síntesis proteica y, en consecuencia, desarrollaba el crecimiento muscular. Desafortunadamente, la parte relativa a la síntesis proteica no fue revelada.

La patente incluía los resultados de dos estudios realizados en pollos. Después de cinco semanas, el 5-metil-7 incrementó el peso de estas aves en un 8 %. Este aumento era principalmente músculo y no grasa.

Para esta patente no se hizo ningún estudio sobre seres humanos y mucho menos en atletas. Sin embargo, los inventores sugirieron que una dosis apropiada para las personas sería de 100 mg dos o tres veces al día.

BUENAS NOTICIAS
ACERCA DE LA IPRIFLAVONA

Así como el 5-metil-7, la Ipriflavona es una isoflavona sintética que no trabaja por las rutas hormonales. Los estudios en animales indican que tiene varios beneficios para los atletas.

Los inventores dieron 5 mg de Ipriflavona por kilogramo de peso a las ratas por 45 días. Con una pequeña pesa atada a las patas, estas fueron entonces forzadas a nadar diariamente hasta el agotamiento. Al final del experimento, las ratas tratadas con Ipriflavona fueron capaces de nadar 33 minutos más (un incremento del 39 %) que los otras que no habían ingerido el compuesto. Un segundo estudio encontró aumentos importantes en la síntesis proteica cuando durante 3 semanas se les suministró a las ratas 30 mg/Kg.

Otro experimento con ratas descubrió que 5 mg/Kg de Ipriflavona suprimía parcialmente el efecto de la cortisona, que puede convertirse en la

hormona cortisol. Y es bueno tener en cuenta que altos niveles de cortisol pueden causar una pérdida de fibra muscular, justamente lo contrario de lo que se desea.

Un cuarto estudio dio 20 mg de Ipriflavona por kilogramo de forraje a varios animales de granja durante cuatro meses. Aquí se encontró aumentos en el peso en 12 % en las cobayas y un 20 % en las aves y conejos. El peso ganado fue, de nuevo, músculo y no grasa.

Por otro lado, el único estudio realizado en seres humanos se realizó sobre diez pacientes de un hospital que sufrían de delgadez patológica. En este caso, una dosis de 150 mg tres veces por día originó un aumento de peso medio de 2 a 3 kilogramos. Lamentablemente, la información con el tiempo de duración del estudio no ha sido proporcionada

La Ipriflavona ha demostrado ser muy eficaz en tratamientos para la osteoporosis en más de 150 estudios publicados y que se realizaron tanto en animales como en personas. Puesto que no tiene efectos estrogénicos directos, la Ipriflavona permite incrementar la densidad del hueso en mujeres mayores sin los problemas típicos que tienen los tratamientos de reemplazo hormonal de estrógeno. La Ipriflavona reduce también la osteoporosis en los hombres.

¡Esta es una gran noticia, especialmente si usted está empezando ya la madurez!

EL GRAN DESCONOCIDO

Debido a que la mayoría de los atletas no sufren de trastornos de catabólicos, deberían ser capaces de poder ganar más masa muscular que aquellas personas débiles internadas en un hospital. Desafortunadamente, una búsqueda de datos en informaciones médicas e instituciones, ha revelado que no existe ningún estudio publicado a la fecha que indique los beneficios para los deportistas que pueden brindar los compuestos tratados en este capítulo.

Ahora que los beneficios en el rendimiento que otorga la creatina han sido establecidos sin la menor duda, sería muy interesante si los investigadores direccionaran sus esfuerzos para el estudio de estas importantes isoflavonas. Solo entonces, con total certeza, se podrá saber cuán eficaces son para ayudarle a usted a conseguir sus metas deportivas.

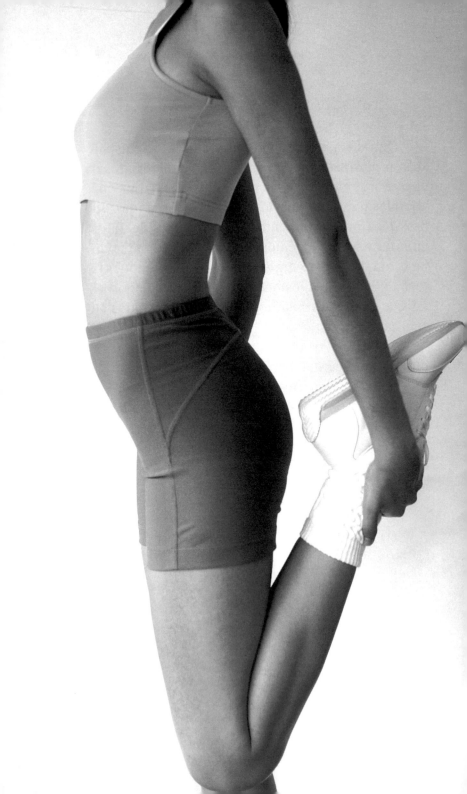

9

La Ribosa

Para alcanzar el máximo rendimiento, las células musculares tienen que suministrar grandes cantidades de energía para realizar la contracción muscular. Ellas pueden hacer esto solo cuando tienen suministros suficientes de un compuesto llamado ATP (adenosín trifosfato).

En el capítulo 2, se apuntó que la creatina es capaz de incrementar la resíntesis del ATP, que es la principal razón de que sea tan eficaz para aumentar la fuerza. Sin embargo, bajo condiciones de entrenamiento fuerte, la creatina es incapaz de favorecer dicha resíntesis lo suficientemente rápido, en consecuencia, la energía molecular se escapa de las células musculares. Si se realizan de nuevo ejercicios antes de que el cuerpo pueda restaurar los niveles de ATP, la fuerza y la energía se verán mermadas notablemente. Afortunadamente, varios estudios han demostrado que la ribosa puede acelerar este proceso de recuperación.

En las personas saludables, las células del cuerpo generan grandes cantidades de ATP durante el descanso. Estos niveles de ATP son regulados de manera estricta, por lo que es imposible incrementarlos más allá de las máximas capacidades de concentración de cada célula. El ejercicio utiliza estos suministros para realizar la contracción muscular, por lo cual reduce temporalmente la cantidad disponible de ATP en un 30%.

Cuando el oxígeno está disponible en la célula, la resíntesis del ATP ocurre rápidamente. Sin embargo, cuando hay escasez temporal de oxígeno (condiciones anaeróbicas), la restauración o recuperación es mucho más lenta. Después de realizar esfuerzos físicos extremos e intensos, puede tomar hasta cuatro días recuperar los niveles normales de ATP. Durante ese periodo de tiempo, la fuerza y el rendimiento estarán muy por debajo de lo acostumbrado.

El tiempo que demora la recuperación del ATP se debe principalmente a que el compuesto llamado PRPP (5-fosforibosil-1-pirofosfato) no está disponible en cantidades suficientes.

Mientras el PRPP provenga de la glucosa, el proceso será relativamente lento. Por suerte, se ha descubierto que la ribosa puede incrementar los niveles de PRPP rápidamente.

La ribosa es un azúcar que puede hallarse en todas las células vivas. Es el nodo central de carbohidrato para el ARN (el ácido ribonucleico) y el ADN (el ácido desoxirribonucleico). Estos ácidos nucleicos contienen la información necesaria para que las células crezcan dividas y lleven a cabo sus funciones normales.

La ribosa puede ser convertida en una energía molecular conocida como lo piruvate, que permite que el ATP sea producido en presencia de oxígeno. Otra función de la ribosa es la formación nucleótidos cíclicos que pueden ayudar a regular la actividad del calcio y otros electrolitos en la célula. Estos nucleótidos controlan la contracción del corazón y de los músculos.

A la ribosa es posible encontrarla en la carne y las verduras, pero de allí no se puede conseguir lo suficiente como para incrementar el desempeño deportivo. En consecuencia, es necesario tomar suplementos. "Cuando uno consume ribosa, esta es convertida en PRPP a través de una ruta metabólica que es más rápida que la usual y lenta conversión de la glucosa", asegura el Ph. D., CSCS., Tim Ziegenfuss. Después agrega: "Esto incrementa los suministros de PRPP y acelera drásticamente la velocidad de restauración del ATP".

Un estudio en la Universidad de Ball descubrió que la ribosa también aumenta el poder de salida. Dieciséis hombres, todos atletas, divididos en dos grupos, tomaron 10 g de ribosa y un placebo de dextrosa respectivamente, dos veces por día, durante una fase de carga de tres días. No hicieron ejercicio durante estos tres días. Los atletas, después, tuvieron cinco días de actividad física intensa. Pasados estos cinco días, una vez más volvieron a tomar la ribosa o el placebo. El estudio reveló que el grupo que tomó ribosa tenía un aumento en la producción de 4.2 % durante el periodo de entrenamiento, comparado con solamente 0.6 % con el grupo que ingirió el placebo. Además, el grupo al que se le suministró ribosa sintió menos fatiga, aunque las diferencias no fueron estadísticamente importantes. Por otro lado, los niveles de ATP y un compuesto similar conocido como ADP regresaron a la normalidad en el grupo que tomó ribosa durante los periodos de descanso de 65 horas, mientras que los que tomaron placebo, estaban todavía debajo en un 23 % de sus niveles normales.

Un estudio similar en la Universidad de Michigan encontró incrementos en la performance en cerca del 10% con una dosis de 10g por día. "Este estudio confirma que los suplementos de ribosa pueden mejorar notablemente el rendi-

miento anaeróbico durante el entrenamiento intenso", dijo el Ph. D., Ziegenfuss a un colega durante el estudio.

La Universidad de Delaware, por su lado, realizó a su vez una investigación con 20 fisicoculturistas. Durante las cuatro semanas, un grupo tomó diariamente 5g de ribosa. Siguiendo un ciclo de entrenamiento de 3 días con trabajo intenso y uno de descanso, los atletas incrementaron el total de su rendimiento en un 19,6%.

SEGURO Y EFICAZ

Según las investigaciones realizadas, los atletas que participaron en estos experimentos no notaron ningún tipo de efectos secundarios, por lo cual se considera que la ribosa es un suplemento seguro. Puesto que es un azúcar simple, esto resulta sorprendente. Sin embargo, no es recomendable consumir más de 20g por día, porque con niveles altos, puede experimentarse diarrea o decrecimiento en los niveles de glucosa en la sangre.

De hecho, un estudio en la Universidad de Missouri descubrió que grandes cantidades de ATP pueden ser conseguidas con relativas pequeñas dosis de ribosa (cerca de 5g). Aún más, se demostró que a medida que se incrementaba el consumo de ribosa, lo beneficios disminuían a partir de

cierto punto, indicando que el cuerpo solo está preparado para ciertas dosis controladas de ribosa a la vez.

Así que lo mejor es quedarse con la dosis de 5g (una cucharadita), que puede tomarse de dos a cuatro veces por día si es necesario, pero no más. El mejor momento para tomarla es antes o después de realizar el ejercicio. Esto permitirá obtener máximas concentraciones de ATP justo cuando el cuerpo más los necesita.

Respecto a la eficacia de la ribosa, esto depende del deporte que se practique y el tipo de entrenamiento que se vaya a seguir. Los estudios han demostrado que si se hace frecuentemente ejercicio con alto nivel de intensidad, la ribosa resultará beneficiosa. En ese sentido, los atletas de competencias verán aquí un poderoso aliado. Sin embargo, si solo se practica deporte los fines de semana, o no se realiza un entrenamiento fuerte, las posibilidades de experimentar cambios es sumamente baja, por lo que mejor sería cambiar de suplemento.

10

MSM

Si se es estricto en el entrenamiento, sin duda más de una vez se ha experimentado dolor muscular o se ha sufrido ocasionalmente de tendinitis. Este dolor muscular es causado por los daños microcelulares que surgen a causa del estrés originado por el programa de ejercicios. A nivel microscópico, los filamentos proteicos que permiten la contracción del músculo pierden algo de su integridad. Por cierto, el daño estructural también puede ocurrir en tendones y ligamentos.

Algunos científicos especulan que el ácido láctico producido durante los ejercicios molesta a estos tejidos musculares lastimados, incrementando así el daño aún más. El dolor puede empezar solo durante algunas horas, para después, extenderse por días mucho después de haber terminado el trabajo físico.

Los suplementos de MSM pueden reducir estos dolores musculares dramáticamente. Este polvo, blanco y cristalino —técnicamente conocido como metilsulfonilmetano— es también eficaz para reducir la inflamación. Inhibe los impulsos de dolor a lo largo de las fibras nerviosas, vasos sanguíneos e incrementa el flujo de sangre, lo cual puede reducir la cantidad del irritante ácido láctico dentro de la célula muscular.

Azufre, un nutriente esencial

Se da por supuesto que el MSM trabaja porque es una fuente de azufre (la tercera parte del peso de su molécula es azufre). El azufre puede hallarse fácilmente en casi todos los tejidos del cuerpo, especialmente en los glóbulos rojos, en los músculos, en la piel, el cabello y las uñas. Está también involucrado en varias funciones endocrinas y con los neurotransmisores.

El azufre —que es el octavo elemento más abundante en el cuerpo humano y constituye del 0,25 % al 0,5% del peso de cada uno— suministra materia prima para muchas enzimas y también para formar aquellos compuestos que nos protegen contra el daño que pueden causar algunas toxinas o radicales libres.

El azufre está contenido en cuatro aminoácidos: el metonina, la cisteína no esencial, la cisteína y la taurina. Los nutricionistas históricamente han asumido que si se comen suficientes proteínas, se conseguirá el azufre necesario; sin embargo, estas son las mismas personas que creen que nadie necesita tomar vitaminas si uno se alimenta bien.

Menos dolor, más crecimiento

Muchos atletas aseguran que el dolor disminuye en un 40% cuando ellos toman MSM. Algunos incluso notan que no tienen que utilizar el pasamano nunca más para subir las escaleras después de haber hecho un entrenamiento intenso de piernas. Aún más, el aparente decrecimiento en los daños microcelulares, disminuyen la cantidad de trabajo necesario para reparar la fibra muscular, dándole al cuerpo más tiempo para elaborar el nuevo tejido muscular. Asimismo, la resistencia crece, permitiendo trabajos más intensos. Esto puede permitir, en consecuencia, aumentar la masa muscular, considerando, claro está, que se come bien y no se entrena en demasía.

Actualmente hay pocas investigaciones publicadas sobre el MSM. Aún no sabemos si es un metabolito del DMSO, que ha sido objeto de miles de estudios en los últimos 45 años (cerca del 15 % de las moléculas del DMSO metabolizan en MSM en el cuerpo). Lógicamente si allí hubiera un

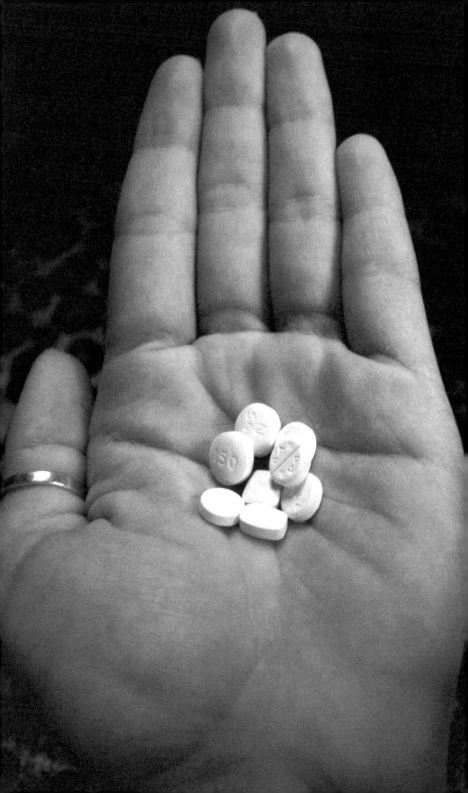

problema con el 15% de esta molécula, ya lo sabríamos en este momento.

Un estudio inédito del médico Ronald Lawrence, presidente de la *American Medical Athletic Association* y coautor del libro *The Miracle of MSMS: The Natural Solutios for Pain*, encontró mejoras importantes en la frecuencia de conexiones entre los tejidos lesionados y el suplemento de MSM. En esta investigación, los voluntarios, divididos en dos grupos, tomaron 750 mg de MSM o un placebo tres veces al día por cuatro semanas con tratamientos quiroprácticos estándar. Aun cuando los sujetos del grupo de MSM tenían cerca de diez años más de padecimientos que los del grupo que tomaron el placebo, se obtuvo que al final necesitaron un 40% menos de asistencia quiropráctica.

LA DOSIS MÁS EFECTIVA

A pesar de que el cuerpo contienen pequeñas cantidades de MSM naturalmente —provenientes de comidas como la leche, las verduras, el café, el té—, se necesita complementar con suplementos si se desea tener suficiente cantidad de MSM para que ayude con los ejercicios.

El MSM viene en forma de cristales, pastillas y cápsulas. Los primeros son mucho más baratos, pero el sabor amargo puede resultar intolerable.

Si se opta por los cristales, conviene comprar un recipiente pequeño. Para tomarlo, hay que hacerlo con jugos, zumos, o alguna bebida con sabor agradable muy fuerte para que solape el mal sabor de los cristales. Una cucharadita de cristal contiene aproximadamente 5 g de MSM. Las pastillas, son más fáciles de ingerir, pero hay que tragarlas rápidamente. Las cápsulas, por supuesto, no tienen mal sabor, pero son muy caras. En todo caso, la decisión la tiene cada quien.

Conviene empezar con dosis pequeñas de 1g por día antes del ejercicio. Algunos atletas que lo han ingerido en demasía han experimentado dolores de cabeza. Por eso, es mejor darle tiempo al cuerpo para que se acostumbre a cada vez más altos niveles de MSM. Después de una semana, se puede empezar a tomar una dosis antes y otra después del ejercicio. Esto asegurará una gran concentración de MSM para la sesión de entrenamiento y para la fase de recuperación. Si el dolor persiste, se puede aumentar la dosis a 2g.

En los días que no se hace ejercicio, una simple dosis es suficiente. Tomarlo con comidas reducirá la probabilidad de cualquier trastorno gastrointestinal. Algunos atletas también dicen que incrementa su nivel de energía. Si usted nota esto, no lo tome antes de acostarse, porque puede mantenerlo despierto toda la noche. Otros efectos secundarios pueden incluir piel más suave y uñas gruesas.

Algunas precauciones

El MSM es un nutriente muy seguro. De hecho, un estudio realizado por uno de los centros líderes en toxicología ubicado en Italia descubrió que es menos tóxico que la sal de mesa. Hasta ahora todavía hay un vacío muy grande en el conocimiento del MSM. Por lo tanto, algunas precauciones deben tenerse en cuenta.

Las observaciones clínicas indican que MSM tiene un parecido con la aspirina pues afecta sobre la agregación plaquetaria, lo cual da como resultado sangre más fina o menos densa. "Si usted está tomando altas dosis de aspirina u otra medicación que afecte a la sangre de manera similar, consulte con el médico antes de tomar MSM", sugiere Lawrence. "También el MSM puede interferir en los resultados de las pruebas que miden los niveles de enzima en los hígados enfermos o dañados, así que informe a su doctor si desea utilizar como complemento este nutriente".

Cada vez más los atletas están descubriendo que el MSM reduce el dolor de los músculos producidos por la gimnasia. Esto permite el crecimiento muscular y poner mayor entusiasmo hacia los ejercicios realizados en el gimnasio. Así que, tomando en cuenta las precauciones anotadas, se le puede dar una oportunidad al MSM, porque podría ser la respuesta que estaba buscando.

11

BEBIDAS DEPORTIVAS

No hace mucho, este tipo de bebidas tenía un nombre: Gatorade. Fue desarrollado originalmente para el Gators, un equipo de fútbol norteamericano de la Universidad de Florida. Gatorade se hizo de un nombre conocidísimo creando, a la vez, el concepto revolucionario de que la mejor bebida para el deportista no es el agua.

Cuando los estudios confirmaron que las bebidas con electrólitos y carbohidratos simples eran capaces de mejorar el rendimiento en los deportes, un nuevo segmento de mercado empezó a nacer. Desde entonces dicho concepto ha crecido hasta consolidarse como una industria de mil millones de dólares con una variedad de tipos y una cada vez mayor cantidad de sabores. Como en esta breve guía sería imposible revisarlos todos, en este capítulo se hablará solo de los cinco tipos principales disponibles en el mercado. Dependiendo del deporte que practique y sus objetivos, todas estas bebidas pueden ser adecuadas para usted en algún momento.

BEBIDAS BAJAS EN CARBOHIDRATOS SIMPLES

Todas las primeras bebidas para deportistas eran bajas en carbohidratos simples. Estos productos, competidores del Gatorade, fueron diseñados para ser consumidos antes y durante el ejercicio. Suministran una relativamente baja cantidad de carbohidratos simples que ayudan a mantener los niveles de azúcar en la sangre durante el ejercicio. Estos carbohidratos generalmente provienen de la sacarosa, la glucosa, los polímeros de la glucosa, la fructosa...

Estas bebidas contienen alrededor del 6 % al 8 % de carbohidratos, así que son predominantemente agua. Esto los convierte en valiosas fuentes de fluidos que compensan el agua perdida durante la transpiración y la respiración. El bajo nivel de carbohidratos simples también maximiza la absorción de fluidos mientras que minimiza el malestar estomacal que se genera durante el ejercicio.

Este tipo de bebidas contienen además electrolitos de sodio y potasio. Esto ayuda a restaurar los niveles apropiados de estos minerales que son perdidos por el ejercicio. Otra ventaja es que el sodio incrementa la sed, lo cual favorece a consumir las cantidades apropiadas de líquido para mantener el cuerpo totalmente hidratado.

Asimismo, estas bebidas son igualmente beneficiosas para los niveles de fuerza y y energía requeridos durante la práctica deportiva. Además, como la mayoría de ejercicios sostenidos consumen glucosa y glicógeno para la energía, proveyendo pequeñas cantidades de carbohidratos simples se puede ayudar a prevenir una pérdida de la intensidad del entrenamiento.

Por supuesto, no es cuestión de beber este tipo de bebidas descontroladamente para ser un súper deportista, porque estas han sido elaboradas para ser consumidas en pequeñas cantidades, no una botella tras otra desproporcionadamente. Si se abusa en su consumo, se pueden experimentar de problemas gástricos. El consumo de demasiados carbohidratos justo antes o durante el ejercicio también reduce las respuestas hormonales que son beneficiosas para el ejercicio. Con moderación, en cambio, las bebidas bajas en carbohidratos simples pueden reducir la fatiga y ayudar a obtener el máximo rendimiento.

BEBIDAS ALTAS EN CARBOHIDRATOS SIMPLES

Estas bebidas contienen de dos a cuatro veces el nivel de carbohidratos que las bebidas vistas en el punto anterior. No deben ser usadas durante el ejercicio, porque pueden sentar mal al estómago si se consumen rápidamente y pueden reducir los niveles adecuados de la testosterona y de la hormona del crecimiento. Sin embargo, después del ejercicio proveen una forma muy conveniente de conseguir los carbohidratos necesarios justo después de realizado el ejercicio para maximizar la resíntesis de glicógeno.

Los estudios han mostrado que después de los ejercicios deben ingerirse alimentos de fácil digestión como las bebidas para deportistas o las bebidas de reemplazo de comida. Estas bebidas son asimiladas muy rápidamente permitiendo así que empiece el proceso de reconstitución lo antes posible.

Una de las ventajas de este tipo de bebidas es que pueden ser mezcladas con creatina para elaborar una improvisada bebida de creatina transportable. También pueden utilizarse para incrementar el recuento final de calorías si se está siguiendo una dieta para ganar peso. Algunas marcas contienen electrólitos, vitamina C, cromo y más minerales, mientras que otras bebidas solo tienen carbohidratos.

Estas bebidas son hechas con los mismos azúcares usados para las bebidas bajas en carbohidratos, con la posibilidad de tener algo de maltodextrina u otro carbohidrato complejo adicional. Esto los convierte en bebidas sumamente beneficiosas después del ejercicio si su objetivo princi-

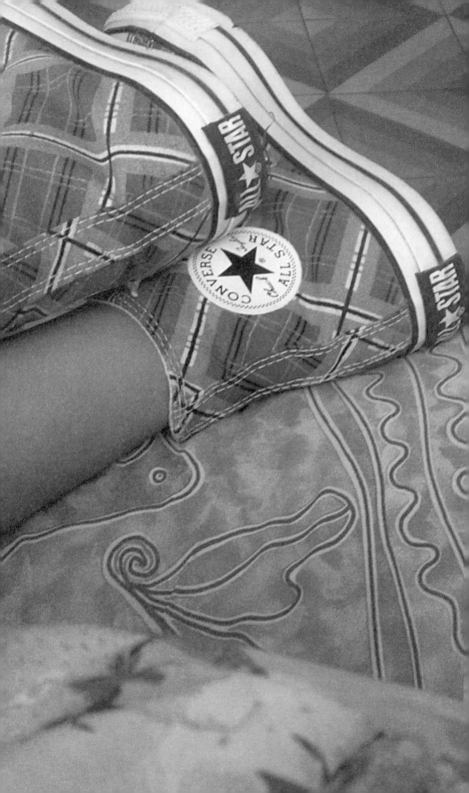

pal es reconstruir sus niveles de glicógeno. Sin embargo, no es conveniente vivir solo de azúcares simples. Lo mejor es utilizar estas bebidas para después de los ejercicios y comer, principalmente, carbohidratos complejos el resto del día.

BEBIDAS CON PROTEÍNAS

Estas constituyen una manera fácil de conseguir la proteína adecuada y de buena calidad que se necesita para recuperar y construir músculo. Pueden ser llevadas en una bolsa de gimnasio o maletín permitiendo así conseguir los aminoácidos esenciales justo después del esfuerzo físico o cuando se está en plena carrera y no se tiene acceso a una batidora o licuadora para hacer un batido de proteína.

Estas bebidas generalmente son elaboradas con suero de proteínas, aunque algunas también contienen caseína y/o soja. La cantidad de proteína varía con el tamaño del recipiente, aunque la mayoría trae entre 20 y 45 gramos. Algunas bebidas tienen ingredientes adicionales como vitaminas y minerales que pueden incrementar la absorción y la distribución de los aminoácidos en las células de los músculos. Otros llevan también glutamina o cadenas de aminoácidos. La mayoría tiene bajas cantidades de carbohidratos y grasas.

Muchos de los productos de esta categoría son listos para beber, pero algunos de ellos vienen en polvo. Mientras que las bebidas hechas a partir de estos productos en polvo tienen la desventaja de que necesitan que se llenen la botellas con agua fría, ellos realmente suministran una dosis de proteína adecuada y medida. Asimismo, también son mucho más ligeras que las que se ofrecen en forma de bebidas líquidas.

BEBIDAS DE RECUPERACIÓN

Al principio fueron creadas para ser ingeridas después del entrenamiento, pero según las nuevas investigaciones realizadas en la Universidad de Texas muestran que también pueden aumentar el rendimiento cuando se toman durante el ejercicio. Estas bebidas contienen generalmente de 10 a 15 gramos de proteínas y de 15 a 35 gramos de carbohidratos con un poco —o nada— de grasas. Algunos tienen incluso niveles altos de carbohidratos simples. Puesto que el cuerpo necesita tanto de carbohidratos y de proteínas para su completa y máxima recuperación, estas combinaciones en las bebidas pueden ser muy beneficiosas.

"Existen ciertas evidencias que muestran que la proteína ayuda a absorber los carbohidratos, incluso durante el ejercicio", señala el Ph. D. Edmund Burke, autor de *Optimal Muscle*

Recovery. "La investigación ha demostrado que las bebidas para deportistas con carbohidratos y proteínas mejoran la eficiencia y la recuperación de músculo incluso mejor que una bebida que solamente tiene carbohidratos."

El estudio de la Universidad de Texas usó una proporción de 4:1 de carbohidratos y proteínas. Los científicos descubrieron que esta cantidad de proteínas proveía los aminoácidos esenciales. Sin embargo, advirtieron que un consumo mayor de proteínas puede reducir este beneficio, por lo que es recomendable mantener las proporciones mencionadas durante el ejercicio o dos horas después de realizado el mismo. Esto implicaría consumir más cantidad de carbohidratos que los que vienen en la mayoría de estas bebidas de recuperación.

Por otro lado, un aspecto importante es que, incluso con los macronutrientes, estas bebidas tienen cantidades cuantiosas de agua. Esto felizmente facilita la rehidratación después del ejercicio. Además, como el entrenamiento intenso produce una reducción en el apetito, estas bebidas ofrecen un camino práctico y delicioso para conseguir los nutrientes necesarios para recuperar e incrementar las fuerzas.

BEBIDAS QUEMADORAS DE GRASAS

Estas bebidas no contienen ni proteínas ni prácticamente carbohidratos. Lo que realmente tienen es nutrientes quemadores de grasa como la efedra, la cafeína, la guaraná, corteza de sauce blanca, el ácido hidroxicítrico y la carnitina. Y, aunque estos suplementos están disponibles en el mercado en forma de cápsulas, consumirlos de esta manera, permitirá degustar una deliciosa bebida que además tiene, evidentemente, agua; lo cual es fundamental cuando se está siguiendo una dieta.

Todos estos nutrientes son estables en el agua así que no hay pérdida de la potencia como ocurre con la creatina. Es por ello que, aun cuando se paga mayor cantidad de dinero por los nutrientes cuando estos están en las bebidas en lugar de pastillas o cápsulas, hay un factor de conveniencia para la primera opción, además del sabor, claro.

Si usted es relativamente reacio a ingerir en cápsulas o pastillas estos nutrientes, o solo quiere probarlos, la mejor alternativa es consumirlos mediante este tipo de bebidas, porque no solo le podrían proporcionar todos los nutrientes que necesita sino que, adicionalmente, le significaría una ayuda importante para eliminar esos indeseables kilos demás.

Algo que debe tener presente, sin embargo, es que las bebidas quemadoras de grasa pueden tener efectos secundarios en ciertas personas, por eso, por favor, primero lea el capítulo 11 de esta guía antes de tomarlos.

CONCLUSIÓN

Cada atleta anhela alcanzar su objetivo lo antes posible. En la actualidad, eso implica que tiene que comer bien, entrenar duro y tomar una variedad de suplementos nutricionales para asegurar su desarrollo. Estos suplementos pueden incrementar sus fuerzas, aumentar el tamaño de sus músculos, mejorar su resistencia y mantener en óptimo estado su sistema inmunológico. Así, dichos suplementos se convierten en herramientas fundamentales en su régimen de entrenamiento.

Gracias a esta guía usted ahora dispone de un buen conocimiento sobre los distintos suplementos nutricionales para el deporte que hay en el mercado. Por lo tanto, usted puede ahora adquirir aquellos productos que se acomodan mejor a sus necesidades reales. Además, también tiene la gran posibilidad de adaptar su programa de suplementos nutricionales de acuerdo al deporte y al nivel de intensidad sin gastar demasiado dinero.

Asimismo, debe tener presente que la excelencia deportiva jamás viene en una botella. Después de todo, los suplementos nutricionales para el deporte solo son los complementos de una dieta saludable. Jamás podrán suplir la falta de entrenamiento o el hecho de hacer poco ejercicio, así que no los utilice como una solución fácil, porque no obtendrá ningún resultado positivo de esa manera.

Lo mejor es que mantenga un régimen de ejercicio enfocado en sus objetivos, que le suministre estímulos suficientes durante el entrenamiento, de tal manera que le permita tener tiempo suficiente para el posterior descanso y la apropiada recuperación.

Cuando usted lo dé todo en el gimnasio o en el campo deportivo, descubrirá que estos suplementos le reportarán el máximo beneficio que pueden brindar.

¡Mucha suerte!

ÍNDICE ANALÍTICO

NUTRIFARMACIAS *ONLINE*

www.midietetica.com www.casapia.com
Reus, Tarragona, España.

www.facilfarma.com
Cambados, Pontevedra, España.

www.naturallife.com.uy
Montevideo, Uruguay.

www.farmaciasdesimilares.com.mx
México DF. México.

www.laboratoriosfitoterapia.com
Quito, Ecuador

www.farmadiscount.com
Lugo, España.

www.hipernatural.com
Madrid, España

www.biomanantial.com
Madrid, España

www.herbolariomorando.com
Madrid, España

www.mifarmacia.es
Murcia, España.

www.tubotica.net
Huelva. España.

www.elbazarnatural.com
Orense, España.